O ÚLTIMO NATAL
DE UM HOMEM RICO

DOUGLAS LOBO

O ÚLTIMO NATAL DE UM HOMEM RICO

FORTALEZA, CE
EDIÇÃO DO AUTOR

CAPA *The Cover Collection*
REVISÃO *Sandra Garcia Cortés* e *Bianca Vieira*
PROJETO GRÁFICO *Aline Martins | Sem Serifa*
DIAGRAMAÇÃO *Aline Martins | Sem Serifa*

Dados Internacionais de Catalogação na Publicação (CIP)

L799u

     Lobo, Douglas Hamilton Santos
       O Último Natal de um Homem Rico / Douglas
     Hamilton Santos Lobo. – Fortaleza, CE: [s.n.], 2018.
     144 p.; 16 × 23

      ISBN 978-85-5697-538-6

     1. Literatura brasileira. 2. Ficção.
     Síndrome do pânico. I. Título.

                                  CDU 82-311
                                  CDD B869

DOUGLAS LOBO
Rua Antônio Atualpa Rodrigues, 100, ap. 501.
Antônio Diogo.
CEP: 60182-490. Fortaleza – CE.
douglaslobo@yahoo.com.br
(85) 98200-4920

1

Enzo Rocha tentava prestar atenção enquanto Ricardo lhe contava como ocorrera o assassinato do pai, Heitor Pinheiro. Enzo sabia onde a conversa terminaria e já estava pronto para dizer "não". Afinal, prometera a si mesmo — e à Amanda — jamais trabalhar de novo como investigador particular.

Sentavam-se a uma mesa escandinava de madeira de lei escura. Ao redor, paredes cobertas por cortinas de linho branco. No teto, lustres de Murano dourados. Nas mesas, murmurinhos e sons de talheres. Circulando pelo salão, garçons de blusas brancas, calças pretas e sapatos envernizados.

O relato de Ricardo acrescentou detalhes ao que Enzo já sabia pela *internet*. Há cerca de um mês, na manhã do feriado de Natal, a doméstica encontrara o cadáver de Heitor. Com a jugular cortada, o corpo do homem de setenta anos jazia sentado em uma poltrona, na biblioteca da mansão em que morava, na Gávea, bairro do Rio de Janeiro. Há cinco dias a polícia havia detido, em prisão preventiva, a ex-esposa de Heitor, Valentina — mãe de Ricardo e principal suspeita. O inquérito estava prestes a terminar e, caso a investigação concluísse pela culpa de Valentina, o promotor ingressaria com ação penal. Se condenada, a mulher pegaria até vinte anos de prisão.

Enzo se lembrava de Valentina: loura, olhos verdes, magra. Embora houvesse domésticas na mansão, ela própria fazia questão de preparar os lanches quando, criança, ele aparecia na casa da família Pinheiro para brincar com Ricardo — e mais tarde, já adolescente, para jogar *videogame* e futebol, ou nadar na piscina. Quantos anos ela teria hoje?, perguntava-se. Sessenta, talvez um pouco mais.

Enzo também se lembrava de Heitor: o vigor, o porte ereto, a voz imponente. Jovem demais à época, ele só compreenderia, anos depois, que o bilionário era um líder junto aos homens — e um sedutor junto às mulheres: nos dois anos entre o divórcio e o novo casamento, o magnata tinha criado rebuliço, nas colunas sociais e nos *sites* de fofoca, pelas jovens atrizes e modelos com as quais saía.

— Minha mãe... você cogita uma mulher como ela matando um homem do porte de papai? É implausível — Ricardo pigarreou e tomou um gole de vinho de uma taça. — A saúde dela já vem debilitada de algum tempo, Enzo. Com o divórcio, ficou pior. E agora isso.

Enzo se lembrava de que ele e Ricardo tinham a mesma idade. O amigo de infância estava então com quarenta. A aparência dele parecia a mesma desde a última vez em que o vira, há quatro anos, quando Heitor contratara o escritório em que Enzo trabalhava então para desbaratar uma quadrilha que roubava mercadorias da rede de supermercados da família.

Ricardo Pinheiro continuava magro e de pele pálida. O rosto, de sobrancelhas espessas, bochechas sugadas e queixo comprido, ainda exibia a rigidez de expressão que sempre o assemelhara, desde criança, a uma estátua de cera. O tipo de homem cujos pensamentos são difíceis de adivinhar.

O amigo também continuava a se vestir com esmero: terno preto de lã fria em corte inglês, gravata de seda escarlate e camisa lisa cinza, com punhos duplos atravessados por ataduras de ouro branco. O vestuário dele contrastava com o de Enzo: camisa esporte fino azul-clara, as mangas recolhidas até pouco abaixo do cotovelo, tênis brancos e calça *jeans* acima da medida, carcomida nas barras pelas poucas vezes em que usava sapatos de sola baixa, que repuxavam o tecido.

A única diferença que Enzo notou em Ricardo foi o cabelo: outrora castanho-claro, parecia que se escurecera. Já o de Enzo, começava a exibir os primeiros fios brancos — talvez pelos doze anos dedicados à profissão de investigador; para escondê-los, cortava o cabelo rente e, como os pelos brancos fossem mais abundantes na barba, barbeava-se todo dia.

Quando Ricardo terminou de falar, Enzo tomou um gole de um drinque, em uma taça de coquetel. A bebida tinha cor amarelo-escura e uma cereja ao fundo. O sabor o desagradou. Fitou a taça por um momento, antes de devolvê-la à mesa. Coçou por alguns segundos a bochecha direita. Então disse:

— Desculpe, Ricardo, mas ainda não sei por que você me ligou.

O outro sorriu:

— Preciso de pretexto para contatar um velho amigo?

Enzo permaneceu sério.

Um garçom se aproximou da mesa e disse:

— Com licença — disse.

Enzo e Ricardo viraram o rosto na direção dele.

— Os senhores gostaram do almoço? — ele perguntou.

— Muito — disse Ricardo. — O vinho, então, está *magnifique*.

— O vinho, talvez... — disse Enzo.

— Algum problema com o drinque, senhor? — perguntou o garçom.

— Olha só — disse Enzo. — Um bom *Manhattan*, bom mesmo, não usa angostura.

O garçom franziu o cenho. Deu uma vista de olhos nas roupas de Enzo, antes de dizer:

— Em *Manhattan* sempre se usa angostura, senhor.

— No começo se usava *bitter* de tangerina. Depois saiu de moda. Uma pena. Mas ainda é o modo certo de fazer.

O garçom tentou retrucar algo, mas pareceu não encontrar as palavras. Então, cruzando as mãos atrás do corpo, disse:

— Repassarei sua observação para a gerência, senhor. E claro que não cobraremos pelo drinque.

Quando o garçom se retirou, Ricardo sorriu:

— E o cabrito, pelo menos? Satisfatório?

— Quase. Faltou algo. Acho que regar de vez em quando com o molho, durante a assadura.

Debruçando-se sobre a mesa, Ricardo desfez o sorriso:

— Enzo, eu e meus irmãos, nós não queremos arriscar um julgamento. Precisamos provar que nossa mãe é inocente. Queremos que você faça isso.

Em silêncio, Enzo limitou-se a fitá-lo.

Será que Ricardo sabia o que lhe pedia? Para que tipo de vida tentava convencê-lo a voltar?

Jogando para o lado a mão direita, aberta, como se afastasse um inseto de sobre a mesa, Enzo disse:

— Eu parei, Ricardo. Faz um ano. Sou professor de Direito agora.

— Em uma faculdade, pelo que eu soube, falida.

Enzo tentou esconder a irritação. Tinha se esquecido de que homens como Ricardo falam o que querem e no tom que desejam. A cortesia e a cautela social tradicionais não se aplicam aos que moram em mansões e viajam a Paris nos finais de semana com a mesma naturalidade que os demais passeiam no *shopping*. Enzo aprendera isso cedo — desde quando ele próprio pertencia à alta sociedade carioca.

— Fechada — disse Enzo. — Minha faculdade não está quebrada.

— Por ora.

A contragosto, Enzo se lembrou daquele dia, há três meses, quando o chefe de Departamento lhe dera as notícias. Aulas suspensas por tempo indefinido. Professores temporariamente afastados. Vínculo empregatício mantido, mas sem remuneração. Os jornais divulgavam há dias informações de que a faculdade rumava para a falência.

— Vocês podem contratar um escritório — disse Enzo.

— Nenhum fará o que você fazia.

Enzo riu.

— Não force a barra, Ricardo. Eu nunca fui tão bom assim...

— *Comment ça?* E o sequestro da estudante? A polícia tinha capturado os homens errados. Você localizou os sequestradores.

— Segui um palpite. Só isso.

— Meu pai... ele achava que cedo ou tarde você montaria o próprio escritório. Aliás, todos nós achávamos que você se tornaria rico como investigador. Esse talento, você o trazia na índole.

Enzo decidiu mudar o rumo da conversa, que já o incomodava:

— Eu lamento, mas não tenho como ajudar vocês.

— Eu sequer mencionei o pagamento.

— Isso não me fará mudar de ideia.

— Está certo disso? — Ricardo tirou do bolso da camisa um papelzinho, que entregou ao outro.

Enzo tentou esconder a surpresa ao ler o valor em dinheiro escrito ali. Pensou na mãe — em como aquela quantia cobriria qualquer tratamento a ser prescrito pelo médico. Pensou também no filho recém-nascido — nas despesas que se acumulavam. A contragosto, admitiu a si mesmo que começava a se interessar pelo caso.

— Quarenta por cento adiantados — disse Ricardo. — O restante, após o serviço.

Em uma tentativa de mostrar desinteresse, Enzo mexeu nos talheres usados, antes de perguntar:

— O que vocês querem? Provas que mostrem que Valentina é inocente? Pra que o advogado da família revogue a prisão?

Ricardo meneou a cabeça.

— Mesmo que minha mãe seja considerada inocente pela polícia, a sociedade já a condenou. Queremos que você exponha o verdadeiro assassino.

Enzo sabia que, se aquela conversa tivesse ocorrido há um ano, ele não teria hesitado. Ao contrário: seria atraído pelo desafio. Naquele momento, porém, só conseguia pensar nas horas em claro à frente, procurando por um criminoso que talvez já estivesse em outro país — e sem a colaboração da polícia, à qual não interessaria a desqualificação do próprio inquérito. Sem mencionar a possibilidade de que Valentina fosse a culpada. E havia ainda o perigo...

Não, não se arriscaria a passar por aquilo de novo; não com um filho recém-nascido. Lembrou-se do que o pai lhe dissera, há tantos anos — na vida anterior à que tinha agora:

Um homem, Enzo, sempre coloca a família em primeiro lugar.

Enzo tirou o guardanapo de sobre as pernas e jogou-o sobre a toalha branca da mesa. Pensou por um segundo na rotina de dar aulas — no quanto aquilo o entediava. Descartou o pensamento, antes de dizer:

— Agradeço a confiança, Ricardo. Mas não há como. Não pretendo voltar a essa profissão. Nunca mais.

Enzo buscou no melhor amigo de infância alguma expressão de desapontamento. Não achou nenhuma; nem qualquer outro tipo de emoção, aliás.

— Que pena — disse Ricardo. — De todo modo, caso mude de ideia, meu telefone está no verso do papel.

Ao sair do restaurante, Enzo esperava nunca mais ver Ricardo Pinheiro.

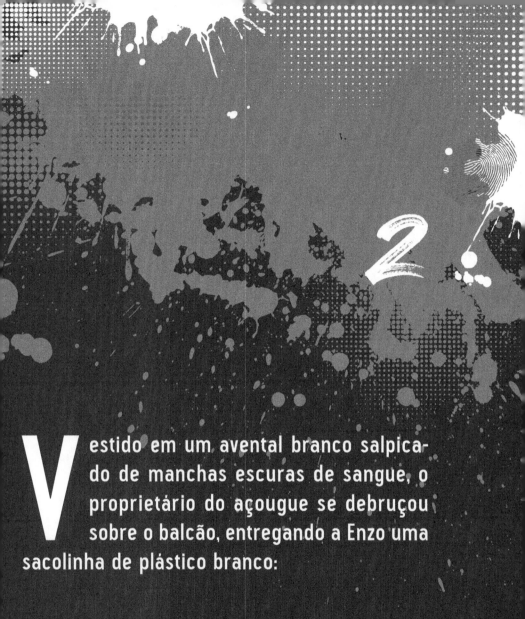

2

Vestido em um avental branco salpica-
do de manchas escuras de sangue, o
proprietário do açougue se debruçou
sobre o balcão, entregando a Enzo uma
sacolinha de plástico branco:

— Senhoria não encontra coelho melhor que esse, seu Enzo. É pra chorar por mais.

Ele se chamava Joaquim. Calvo no topo da cabeça, com algum cabelo nas laterais, tinha uma barba rala que, percorrendo bochechas enrugadas, juntava-se a um bigode espesso, de bordas arredondadas.

Do outro lado do balcão — prolongado abaixo em um expositor envidraçado com nacos de carne pendurados em ganchos — Enzo pegou a sacolinha, agradeceu e, virando-se, começou a andar rumo à saída.

A meio caminho, parou. Aproximando-se de um balcão menor, à esquerda, pôs-se a tatear condimentos dentro de um engradado de madeira. Acabou por erguer à sua frente um vidrinho vermelho, que passou a examinar. Após alguns segundos, virando-se, mostrou-o a Joaquim:

— Não esperava encontrar isso aqui.

— Um fornecedor ofereceu barato. Só assim pra eu comprar, *tás a ver?* Não acho que vai ter muita saída.

Enzo sorriu:

— Esse é um tempero pra carne típico do *Jamaica Plan.*

— Na Jamaica?

— Em Boston. É um bairro de lá, onde se come carne muito boa.

Joaquim sorriu:

— Posso fazer bom preço.

Enzo passou os olhos pelo recipiente. Estava indeciso. Afinal, Amanda já reclamaria do coelho — um luxo na contenção de despesas por que passavam.

Mas, pensou ele, levando em conta o que já gastara com a carne, que diferença fariam alguns reais?

Após sair do açougue, Enzo seguiu, no sentido do tráfego de veículos, por uma calçada da avenida Voluntários da Pátria, em Botafogo.

Os carros passavam a 60 km por hora, o sol do meio-dia cintilando nos vidros dos para-brisas e janelas. Roncar de buzinas. Àquela hora, as calçadas apinhadas de pedestres: colegiais a caminho de casa; peões de obras em busca de almoço; esportistas rumo à praia. Nos botecos, em meio ao calor do verão, homens de bermuda e chinelas — alguns sem blusa. Nas lojas de departamento, fregueses à procura das últimas queimas de estoque depois do Natal.

Enquanto caminhava, Enzo pensava em como contaria a Amanda sobre a proposta de Ricardo. Já se arrependia de ter dito a ela, na véspera, que se encontraria com o antigo amigo. Agora, teria que deixar claro à esposa que recusara a proposta, e sem chance de voltar atrás.

Remoía esses pensamentos ao passar em frente a uma galeteria, que ocupava toda uma esquina. Dentro, sentados defronte a balcões, fregueses almoçavam, enquanto garçons serviam pratos e repunham tulipas de chope. O cheiro de galeto na brasa chegava até Enzo, enquanto, sem parar, ele acessava uma travessa à direita.

Pôs-se a caminhar por uma das calçadas da travessa.

Ao redor, só residências e sobrados. Nem pedestres, nem carros. No meio-fio, frades-de-pedra ladeavam figueiras musgosas, de copas tão densas que a luz do sol mal descia ao chão.

Na segunda quadra, Enzo tocou a campainha do portão gradeado de um edifício. Após a tranca eletrônica abrir com um apito, ele entrou e, seguindo por um pisante de pedras ladeado por grama, adentrou a portaria.

Amanda Rocha — maçãs do rosto encovadas e esbranquiçadas, cabelo castanho até um pouco depois dos ombros, encrespado nas pontas, e uma flor tatuada no antebraço esquerdo — tentava não pensar nas despesas enquanto amamentava o bebê.

Sentada no sofá de dois lugares da sala, ela se esforçava para se concentrar no coelho que cozinhava na panela de pressão, ao suco de laranja. Dentro de pouco tempo ela teria que desligar o fogo. O aroma da carne já se espraiava há vários minutos.

À esquerda dela, deitado de lado no sofá de três lugares à direita da entrada, de bermuda e camiseta, Enzo assistia a um filme policial na TV; os pés, descalços, estendidos em direção à varanda.

Amanda gostava que o cinema fosse o único contato restante de Enzo com assuntos policiais. Não tinha saudade dos tempos em que ele trabalhara como investigador; e muito menos do dia em que ele quase morrera no leito do hospital... Por isso, a preocupação dela desde quando ele saíra, mais cedo, para almoçar com Ricardo Pinheiro.

— Enzo... — ela *tinha de* saber. — O Ricardo ofereceu muito pelo trabalho?

— Sim — disse Enzo, sem tirar os olhos da TV.

— E o que passou pela sua cabeça... quando ele fez a proposta?

Por um momento, Enzo desviou os olhos, da TV para a varanda. Então, voltou a assistir ao filme, enquanto dizia:

— Eu não vou aceitar o caso, querida. Até porque fui bem numa entrevista pra outra faculdade.

Amanda sorriu, as bochechas ganhando cor.

Culpou-se por pensar que Enzo tivesse cogitado aceitar o caso. Até porque ele não demonstrara até então nenhum desejo de voltar à vida de investigador. Parecia feliz como professor.

O bebê parou de mamar. Amanda ergueu a aba do vestido, cobrindo o seio direito.

— Nós bem que podíamos ter uma babá — disse ela. — Assim eu poderia voltar a trabalhar.

Ela sabia que não queria isso. Na verdade, temia o retorno à vida profissional: sabia que teria que sondar, experimentar, arriscar — até descobrir uma carreira que substituísse a de Letras. Antes mesmo da maternidade, não se via mais dando aulas de Literatura.

Em resposta à sugestão dela, Enzo limitou-se a grunhir algo, sem desviar os olhos da TV.

Ela continuou:

— E se pedíssemos dinheiro pro meu pai?

Amanda percebeu o erro assim que Enzo desviou os olhos da TV e cravou-os nela. Desde o primeiro dia de casamento, havia um acordo silencioso entre os dois: evitar menções ao pai dela.

Enzo ergueu-se do sofá e se aproximou dela. Curvando-se, beijou-a entre os cabelos, tocando-lhe os ombros, enquanto dizia:

— Não precisamos do seu pai pra nada, querida. Cuide do bebê. Eu cuido de vocês.

3

Thiago Vasconcelos comeu um pedaço do hambúrguer e, sanduiche de volta ao prato, limpou a boca com um guardana-po. Cuidou especialmente de limpar a barba, espessa e de pelos negros — da mesma cor do cabelo, liso e caido para os lados. O rosto, triangular, tinha bochechas arredonda-das, denunciando alguém um pouco acima do peso. Vestia calça *jeans* dobrada nas abas, com sapatos pretos e camisa gola polo azul.

— Então você não vai aceitar a investigação? — ele perguntou a Enzo, que se sentava do outro lado da mesa de madeira.

— Não.

Ao redor deles, as demais mesas da hamburgueria, espalhadas pela calçada da rua Mena Barreto, em Botafogo, juntavam-se às de outros estabelecimentos, em um quarteirão com lanchonetes e restaurantes abarrotados. O burburinho obrigava os fregueses a conversarem em tom de voz mais alto que o normal.

Na área interna da hamburgueria, de pé atrás de um balcão, uma garota loura e de olhos azuis recebia os pedidos, processando os pagamentos em uma máquina registradora. A cada pedido, entregava um recibo em papel ao freguês, que o repassava aos atendentes, que punham mãos à obra, grelhando os hambúrgueres em uma chapa quente, a fumaça absorvida por um exaustor de metal logo acima. Entre o balcão e a área externa, uma coluna, onde se dependuravam pôsteres e *souvenirs* de filmes e bandas de *rock* dos Estados Unidos; ao lado dela, contíguo à calçada, um mostruário envidraçado contendo cervejas artesanais.

Thiago achava que o "não" de Enzo ao caso devia ser sincero. Embora não o conhecesse o suficiente para saber quando o amigo falava a verdade. Aliás, não sabia de ninguém que o conhecesse a esse ponto — nem mesmo Amanda. De todo modo, a decisão de largar a profissão de investigador — tomada no leito do hospital, tão logo os médicos salvaram sua vida — parecia que fora definitiva.

Melhor assim, pensou. Afinal, nos anos em que trabalhara para o escritório em que Enzo atuava, Thiago presenciara o quanto a profissão absorvia o amigo. Quando estava com algum caso sob sua alçada, o investigador lhe passava mensagens às duas, três da madrugada: perguntava se Thiago, então médico parecerista, encontrara erros técnicos nos laudos dos peritos públicos — mal podendo esperar para que as firmas de advocacia que subcontratavam o escritório usassem essas falhas para invalidar provas contra os clientes.

Enquanto firmava entre os dois pães uma rodela de tomate que teimava em sair a cada mordida sua, Thiago observava, no outro lado da rua, na praça arborizada defronte à estação do metrô, a performance de três atores. O espetáculo já atraíra público — que aumentava, com os andantes esquecendo-se de seu trajeto e deixando-se ficar por ali, tirando *selfies* com os celulares. Mesmo os camelôs haviam dado um ou dois passos adiante de suas barracas, de modo a ver melhor a agitação. Um rapaz que carregava às costas um quimono de luta — enrolado e preso pela faixa, cuja ponta solta ele segurava por sobre os ombros — também parou para ver.

Sem blusas e entintados de azul, os atores se posicionavam ora em círculo, ora em fila. Quando em círculo, evoluíam a performance, juntando-se uns aos outros no centro, o rosto a poucos centímetros entre si; então se afastavam o máximo possível, chegando até o meio-fio. Quando perfilados, punham-se a andar pela praça, interagindo com a plateia por meio de sorrisos e acenos.

— O que isso quer dizer? — perguntou Enzo, apontando para o espetáculo com o indicador direito.

Thiago deixou o sanduíche sobre o prato, limpou as mãos com o guardanapo e, gesticulando com as mãos abertas, respondeu:

— Acho que algo como "as pessoas sempre andam em círculos. Mesmo quando pensam seguir adiante".

Enzo contraiu os lábios, antes de dizer:

— Se é isso, é besteira.

Thiago franziu o cenho:

— Não acho.

— É o contrário — com o dedo indicador direito, Enzo desenhou sobre a mesa uma linha reta imaginária. — Todo mundo caminha em linha reta. Mesmo quando acha que anda em círculos.

— Em linha reta pra onde?

— Pra morte. A única linha reta da vida.

Thiago sorriu:

— Bem, enquanto essa linha reta não chega ao fim, as pessoas tentam andar por outras. Rumo às próprias metas, objetivos — ele tomou o último gole de refrigerante no copo. — Infelizmente, a maioria acaba por andar em círculos.

— Então deviam aprender a viver um dia depois do outro. Como eles — apontou com a cabeça para os atores. — Talvez nem tenham comida daqui a três dias. Só ligam pro agora.

— As pessoas estão sempre em busca de algo, Enzo. Mesmo que não pareça.

— Em busca de quê?

— De algo que responda à pergunta: "Por que vim ao mundo?"

— Olha só, Thiago. Quando o cara vira adulto, e marido, e pai, o sentido da vida passa a ser trazer comida pra mesa. E não uma suposta — com os dedos médio e indicador de cada mão, simulou aspas imaginárias — "missão" pra qual ele teria nascido.

Thiago despejou uma dose de mostarda em seu sanduíche. Mordeu um pedaço e, enquanto mastigava, firmou os olhos em Enzo.

Um gato de rua miou em algum lugar.

Thiago se debruçou sobre a mesa:

— Enzo, você já se perguntou qual sua missão na vida?

Enzo terminou de mastigar o último pedaço do sanduíche. Colocou o guardanapo usado, sujo de *catchup*, sobre o prato. Sorrindo, meneou a cabeça.

4

Enzo tentava entender o termo técnico que o médico, sentado à frente dele, acabara de usar.

— Terapia-alvo? — acabou por perguntar, após perceber que Alícia, sua irmã, na cadeira à direita dele, e Teresa, sua mãe, à esquerda, também ignoravam o sentido da palavra.

— Uma nova geração de medicamentos para câncer de mama — disse o médico, de rosto barbeado, pele bronzeada e postura ereta. À frente dele, empilhadas sobre a escrivaninha, algumas radiografias; atrás, uma estante com compêndios e enciclopédias de Medicina. — Muito eficazes, em combinação com a quimioterapia.

— Qual o problema em fazer só a químio? — perguntou Alícia, cabelos pretos curtos, corpo magro, pele morena e músculos do rosto, sem maquiagem, enrijecidos. Vestia calça *jeans*, camisa social branca e sapatilhas.

— É agressiva e de resultados duvidosos nesse estágio da doença — o médico se mantinha ereto e sem emoções visíveis no rosto. Às vezes, com os dedos da mão esquerda, girava o anel de formatura, no dedo anelar direito.

Enzo esfregava as mãos uma na outra devido à temperatura baixa, decorrente do ar-condicionado *split*, no topo da parede. O aparelho emitia um ruído suave.

— Esse outro tratamento... — disse Teresa, de cabelos grisalhos, rosto enrugado e com maquiagem pesada, e bíceps pelancudos visíveis no vestido de alcinha. — Isso também não vai salvar minha vida, não é, doutor? Então pra que eu vou fazer?

Antes que Enzo falasse algo, Alícia se antecipou:

— Mãe...

Enzo não queria nem cogitar que sua mãe não quisesse viver. Se bem que isso não o surpreenderia.

— Senhora Rocha — disse o médico, sem parecer abalado pela sinceridade da paciente —, o câncer é irreversível.

Enzo fechou os olhos por alguns segundos.

— No entanto — continuou o médico —, esse tratamento pode dar à senhora três, talvez quatro anos. Viajando, trabalhando, se divertindo.

Enzo pensava em como sua mãe não merecia isso. A falência do marido já fora demais para ela. Em poucos dias passara de dama da alta sociedade a vendedora em uma loja de roupas, e depois a simples dona de casa, sustentada pelo dinheiro que Alícia — e depois também Enzo — lhe enviavam. E agora a doença...

Após alguns segundos fitando o médico, calada, Teresa aquiesceu com a cabeça. Enzo sabia porém que ela não se convencera. Como tampouco se convencera quando ele a aconselhara a buscar o divórcio, para que pudesse começar nova vida. Ela havia prometido pensar sobre o assunto — mas ele via, nos olhos e em cada palavra dela, a esperança de que um dia o marido entraria pela porta, com sorriso e desculpas.

— Quando podemos começar? — Enzo perguntou ao médico.

— Há um problema, seu Rocha. Seu plano de saúde.

— Que tem ele? — perguntou Enzo.

— A operadora tem colocado entraves para autorização de terapias do tipo.

Enzo receava isso. Circulava entre ex-professores que a faculdade deixara de repassar verbas ao plano, levando a operadora a rejeitar tratamentos caros.

— E o SUS? — perguntou Alícia.

— No caso de câncer de mama, o sistema não disponibiliza os medicamentos quando a doença está em metástase.

Enzo e Alicia se entreolharam.

Recostado à porta do carro, Enzo esperava enquanto a irmã descia os degraus da escadinha de madeira que, na casa da mãe, no bairro do Grajaú, levava da varanda até o jardim.

Enzo perdera a conta de quantas vezes, adolescente, vira Alícia descer aquela escadinha, rumo ao trabalho — se é que se podia chamar assim aos biscates e subempregos aos quais ela tivera que se submeter, após a falência do pai, para sustentar a mãe e Enzo; até finalmente obter licenciatura e um emprego de carteira assinada, como professora de escola pública.

Caminhando sobre um pisante de pedras, Alícia percorreu o jardim, até chegar ao portão gradeado, à altura de um muro em cujo sopé a grama esverdeada dava lugar a rosas, violetas e tulipas.

Alícia abriu o portão gradeado, saiu para a calçada e parou em frente a Enzo.

— Como nós vamos fazer? — ela perguntou. Haviam combinado de conversar sobre o custo do tratamento ali, de modo que a mãe não os ouvisse.

— Vou resolver — disse Enzo.

— Eu posso trabalhar à noite.

— Esqueça — ele não deixaria que a irmã carregasse de novo o fardo de cuidar sozinha da mãe. — Vou conseguir dinheiro.

— Como?

— Cuide da mamãe, ok? Deixe o resto comigo.

Ele abriu a porta e entrou no carro. Tão logo sentou no banco, ouviu Alícia dizer a si mesma, enquanto ela se virava para voltar à casa:

— Se papai estivesse aqui…

Na iminência de fechar a porta, Enzo reteve o movimento. Cravou os olhos nas costas de Alícia, que já caminhava de volta à casa.

Ele fechou a porta, enfiou a chave na ignição, destravou o freio de mão e, baixando o vidro elétrico, gritou:

— Alícia.

A irmã parou e se virou.

— Eu procurei papai — disse Enzo. — Assim que recebemos o diagnóstico. Sabe o que ele falou?

Alícia fitava o irmão, sem nada dizer.

— Ele disse — continuou Enzo — que só cuida dos próprios problemas.

Enzo girou a chave na ignição, engatou a primeira marcha e acelerou. O automóvel partiu guinchando os pneus, assustando um catador que puxava junto ao meio-fio um carrinho cheio de sucatas.

Sentado no selim da moto, a mão direita sobre o guidão, Enzo segurava à mão esquerda, pela borda, de encontro à coxa, o capacete.

Às costas dele, um botequim, as mesas espalhadas sobre as pedras portuguesas da calçada. Um ou outro freguês. Odor de linguiça assada. Retinir de travessas de metal na cozinha. Barulho de engradados de bebida sendo descarregados em algum lugar aos fundos.

À frente de Enzo, logo depois da rua em cujo meio-fio ele estacionara, no Largo dos Leões, no Humaitá, uma pracinha encimada pelas copas de duas tipuanas, de cujos galhos pendiam flores amarelas.

No bolso da calça *jeans* de Enzo, o celular tocou. Ele tirou a mão do guidão e pegou o aparelho. Fitou a tela. A chamada vinha do contato que lhe prometera retorno sobre a entrevista de emprego na universidade. Atendeu.

— Sim, é ele… Entendo… Agradeço, de todo modo.

Enzo desligou o aparelho e guardou-o de volta no bolso.

Merda!

E agora?, pensou.

Empréstimo em um banco?

Qual deles iria emprestar dinheiro a quem não tinha contracheque há três meses?

Talvez os amigos?

Não, ele era muito orgulhoso para pedir dinheiro a eles. E seus amigos nem tinham tanto dinheiro assim…

Talvez os de Amanda…

No que ele estava pensando? É sua família; ele não iria se humilhar pedindo dinheiro aos amigos da esposa.

Teria que vender a moto. Amanda já tocara no assunto mais de uma vez. O carro também.

Quanto dinheiro isso daria? Dois veículos usados — o dinheiro que tirasse nem de longe resolveria o problema.

E agora?

Enquanto pensava no que fazer, Enzo pôs a vista na praça.

Crianças brincavam no *playground*, supervisionadas pelas mães.

Uma garota caiu ao pular corda. A mãe se ergueu do banco e correu até ela. Levantou a menina e apalpou-lhe o corpo por cima das roupas, à procura de algum ferimento ou ponto de dor; não o encontrando, limitou-se a limpar o vestido da garota com as mãos, liberando-a então para brincar de novo.

A cena trouxe à memória de Enzo o que o pai lhe dizia quando ele caía durante as brincadeiras.

> *Se levante e comece de novo.*
> *Mas, pai, tá doendo...*
> *Ignore a dor. Pense em algo bom. E a dor vai embora.*

Enzo fazia isso. E a dor sumia.

O pai também lhe ensinara algo ainda mais importante. Naquele dia, que Enzo nunca esquecera...

O pai se preparava para entrar no carro, no jardim da casa em que moravam, no Alto Jardim Botânico. Enzo correra na direção dele, chamando-o. O pai parara. O motorista manteve a porta traseira aberta enquanto o pai, ajoelhando-se junto ao filho, pôs-se a conversar.

> *O que há, Enzo?*
> *Pra onde o senhor vai?*
> *Pra construtora. Apareceu um problema.*
> *Mas hoje é feriado.*
> O pai sorri:
> *Sabe de onde vem o dinheiro que paga essa casa, Enzo? E sua escola?*
> *Do seu trabalho, pai.*
> *Então eu tenho que me dedicar. Pra dar a você, a sua*
> *mãe e a sua irmã tudo que vocês merecem.*
> *Mesmo no feriado?*
> O pai segura-o gentilmente pelos ombros:
> *Um homem, Enzo, sempre coloca a família em primeiro lugar.*

Enzo sabia que o pai estava certo. Mesmo que o próprio não tivesse seguido o que defendia. Mesmo que a falta de dinheiro, a mudança para o Grajaú e os biscates tivessem-no derrotado, levando-o à bebida, às prostitutas... e mais tarde aos espancamentos, da esposa e dos filhos... e, finalmente, dois anos depois da falência, à fuga de casa.

A sina do pai não mudava o valor do ensinamento.

Mas, ele pensou, *e o preço a pagar?*

Enzo ainda se lembrava do primeiro surto, alguns dias após ter saído do hospital. E do tratamento que se seguiu, com o psiquiatra que a família de Thiago lhe indicara. Mesmo após oito meses de alta, a expressão ainda lhe dava calafrios:

Síndrome de pânico.

E esse nem era o maior risco. O maior, mesmo, era perder Amanda.

Enzo vira nos olhos dela que o pedido para que ele largasse a profissão escondera uma ameaça: a de que ela iria embora se ele continuasse a viver daquela maneira. Ele não podia perdê-la. Não sentia saudades dos tempos de solteiro: das mulheres e das amizades daquela época — ligadas de uma maneira ou outra ao doentio aparelho policial carioca.

Mas, pensou, *que outra opção tenho? Fugir, como o pai?*

Nunca.

Amanda, Alícia, Teresa, o filho — todos contavam com ele.

Tirou o celular do bolso e discou. Alguém atendeu no terceiro toque, e Enzo disse:

— Sou eu. Aceito o caso.

5

—Não esperava você de volta ao trampo. Falam que você saiu meio... — por três vezes, Draco Magalhães girou para trás, ao redor do ouvido, o indicador direito.

Enzo permaneceu sério.

Ele não gostava de Magalhães. Com seus ombros largos, barba espessa mal aparada e cabelos desalinhados, o delegado parecia um bárbaro dos filmes e séries ambientados nos tempos antigos. Não mudava essa impressão o fato de ele, naquele momento, vestir terno cinza puído e gravata listrada com nó desarranjado; nem que empunhasse na mão direita, em vez de um machado, uma caneca de cerâmica branca, de onde bebia goles de café, limpando com as costas da outra mão os vestígios da bebida que lhe escorriam pelos lábios.

— E sobre o caso, Magalhães? O que tem a me dizer?

O delegado riu. Debruçando-se sobre a mesa, cotovelos na superfície, fitou Enzo.

— Por que diabos eu devo te ajudar, Rocha? Depois que você quase fez eu perder meu cargo aqui na Homicídios.

— Você ainda se lembra disso? Mesmo?

— Fui zoado por uns três anos.

— Era a vida de uma garota, Magalhães.

— A gente ia encontrar a guria. Aí você aparece, fazendo um *show* na mídia.

— A família da garota acionou a mídia. Eu só fiz o melhor pro cliente. Como agora.

Enzo tentava ignorar o odor de cigarro em Magalhães. Não fumava há mais de um ano, alertado pelo psiquiatra de que a nicotina pode causar surtos de pânico. Não havia sido fácil parar.

— Como a família Pinheiro chegou até você? — perguntou Magalhães.

Enzo sentia calor. Será que o ar-condicionado estava quebrado? Uma câimbra súbita no pé esquerdo forçou-o a se lembrar dos surtos... das câimbras de então...

— Olha só, Magalhães. A família Pinheiro é muito influente...

— Você está me ameaçando?

— ... se souberem que você me ajudou, eles podem mencionar isso ao Secretário de Segurança.

O delegado se retesou na cadeira:

— Você pensa que sou carreirista, Rocha? — Magalhães pegou uma carteira de cigarros sobre a mesa. Chegou a tirar um deles, mas, com sonoro palavrão, colocou-o de volta, jogando a carteira sobre a escrivaninha. Devia ter se lembrado de que é ilegal fumar em prédios públicos.

Enzo esperava que Magalhães cedesse. Em vários casos, nos tempos de investigador, deparara-se com a ambição do delegado. Contava-se à boca miúda que ele usava a Delegacia de Homicídios como trampolim para o cargo de Secretário de Segurança.

Enzo rira da ideia quando a ouvira pela primeira vez. Magalhães, secretário? Por que não entregar o Rio de vez à bandidagem?

O investigador percebeu que tivera êxito quando o delegado, após alguns segundos calado, recostou-se na cadeira e disse:

— Eu posso te ajudar. Só porque é o certo a fazer. Só por isso, entendeu?

— Claro — Enzo se esforçou para conter um sorriso.

— Do que você precisa? — perguntou Magalhães.

— Acesso a tudo que o inquérito descobriu até agora. E também às gravações do circuito de TV da casa. E à Valentina.

— Tudo que você precisa saber, cacete, está publicado.

Enzo lera tudo sobre o crime, mas precisava confirmar as informações com a autoridade oficial.

— Alguma coisa foi roubada? — perguntou.

— Nada. Joias, dinheiro e papéis continuavam no cofre.

— Como ocorreu o crime?

— Valentina visitou o figurão. Dentro do horário estimado da morte: entre três e três e meia da madrugada.

— Que horas ela esteve na casa? — perguntou Enzo.

— Chegou às três em ponto. Saiu dez minutos depois. As câmeras mostram.

— E o que ela queria com Heitor?

— Tiveram um arranca-rabo feio — disse Magalhães. — Ela soube naquele dia que o velho tinha mudado o testamento. Que ela ia ficar sem nada. Metade de tudo ia pra esposa gostosa. A outra metade, pros filhos.

— Como ela soube? Heitor falava abertamente sobre o testamento?

— Só com o advogado — disse Magalhães.

— Ele é amigo pessoal da Valentina. Acabou contando a ela, desde que prometesse ficar quieta. Mas a mulher surtou.

— Naquela noite, Heitor bebeu álcool?

— Os exames mostram que ele só tomou chá.

— E a arma do crime? — perguntou Enzo. Segundo lera, uma faca de caça que ficava pendurada na parede da biblioteca.

— A gente vasculhou cada buraco da mata. Procuramos na mansão, no carro e na casa de Valentina. Não encontramos nada.

— Quando Valentina saiu da casa — perguntou Enzo —, ela carregava alguma coisa?

— As imagens das câmeras mostram ela de mãos limpas.

— Magalhães, alguma evidência material foi encontrada?

— Nada.

— O mais curioso, pra mim — disse Enzo —, é que, segundo os jornais, Heitor morreu sem esboçar reação.

— A mulher deve ter fingido que ia sair da biblioteca. Só que ficou por dentro, entende? Pegou a faca, se aproximou do velho na ponta dos pés e cortou a jugular. O cara sangrou que nem galinha de angola em terreiro.

Enzo teve que reconhecer para si mesmo que os indícios comprometiam Valentina. Mas havia alguns aspectos que Magalhães parecia querer ignorar.

— Olha só — disse ele. — Uma mulher de 60 anos não mata o pai dos filhos só por causa de um testamento.

— Ela é bipolar. Tinha interrompido a medicação. Bebeu. O álcool, o testamento, a esposa jovem… A mulher pirou.

— Tem algo aí que não encaixa.

Pondo a caneca de café sobre a mesa, Magalhães cruzou os braços:

— O que não encaixa, Rocha?

— O porte físico de Valentina. É difícil acreditar que ela tenha conseguido matar alguém do porte de Heitor com um corte na garganta.

Descruzando os braços, o delegado apontou para Enzo o dedo indicador em riste:

— Vou terminar o inquérito daqui a quatro dias, Rocha. Como manda a lei. O Secretário de Segurança vai deixar meu rabo em paz. Depois, não é mais comigo.

— E se Valentina for inocente?

— E daí?

— "E daí?" — perguntou Enzo. — Seu papel não devia ser fazer o que é certo?

— Meu trabalho é seguir procedimentos. Eu não estou em uma cruzada, Rocha.

— Magalhães, se Valentina não cometeu o crime...

— Eu só mudo esse inquérito se você trouxer indícios de que o criminoso é outro. *Indícios.* Não palpite ou teorias. E, Rocha?

— O quê?

— Nem pense em me sacanear.

Enzo sorriu.

— Eu nem cogito isso, Magalhães.

Enzo acabava de perceber que a vida de professor o desabituara àquele mundo: o aparelho policial carioca, no qual tipos como Magalhães pululavam. Mal podia esperar para encerrar o caso e voltar à sua rotina.

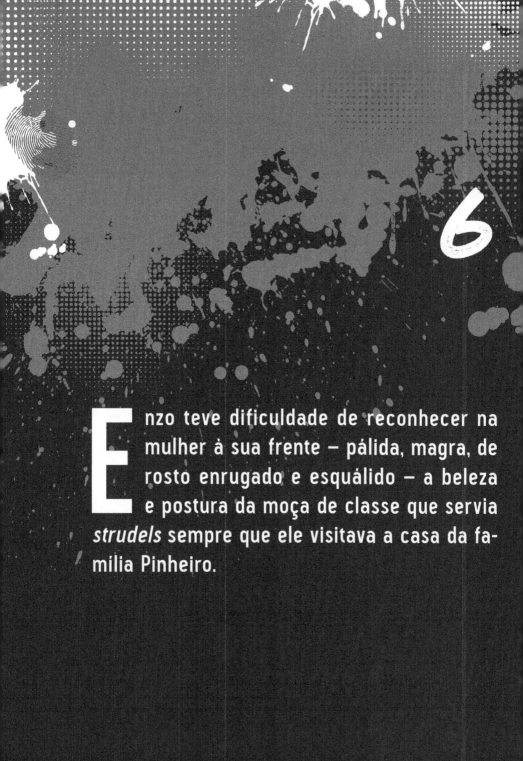

6

Enzo teve dificuldade de reconhecer na mulher à sua frente – pálida, magra, de rosto enrugado e esquálido – a beleza e postura da moça de classe que servia *strudels* sempre que ele visitava a casa da família Pinheiro.

— Nós discutimos sim — disse Valentina Arraes, telefone em punho, sentada detrás de uma divisória de vidro embaçada, na sala de visitação do Complexo Penitenciário de Bangu. Vestia o macacão laranja utilizado pelos prisioneiros. Atrás dela, de pé, junto à parede de tinta azul-fosco descascada, dois guardas penitenciários. — Eu parei assim que ele passou a me ignorar.

— Ignorar? — Enzo sentava-se na bancada oposta, do outro lado da divisória de vidro. À esquerda e direita deles, baias de madeira separavam-nos das demais estações de conversa.

— Ele olhava pro chão — disse Valentina. — Ou pra cima. Retrucava algo. Fechava os olhos às vezes. Tinha alguns papéis na frente dele, e escrevia algo neles. Como se eu não estivesse ali.

— Que papéis eram esses?

— Não sei, mas eram importantes pra ele. Porque em algum momento ele se levantou e guardou eles no cofre. E eu fui embora.

— Valentina, o perito encontrou no cadáver vestígios de medicação cardíaca e calmantes — a garganta de Enzo estava seca. Molhou-a com saliva antes de continuar:

— Há quanto tempo Heitor tomava esses remédios?

— A cardíaca, desde o último enfarto. Ele teve três.

— Então o coração dele era frágil?

— A saúde dele como um todo ficou muito frágil depois do primeiro.

— E os calmantes? — perguntou Enzo.

— Ele não tomava isso quando éramos casados.

— E depois? Ele nunca falou a você que os tomava?

— Heitor não sairia falando que tomava remédios. Ele tinha muito orgulho de sua saúde, de seu vigor.

— Valentina, você conhece alguém que quisesse ele morto?

A mulher abaixou os olhos, deixando à mostra o cocuruto, onde os cabelos louros começavam a escassear. Quando ergueu a cabeça de novo, mordeu os lábios, antes de dizer:

— A vagabunda com quem ele se casou.

— Eduarda Pinheiro? Mas por que ela o mataria?

— Pela herança. Afinal, por que outro motivo uma mulher de vinte e cinco anos se casaria com um bilionário de setenta, com três enfartos no histórico médico?

Assim que pôs os olhos em Caio Pinheiro, Enzo sabia que havia ali mais que um *playboy* da Zona Sul.

Os anos de investigador haviam-no preparado para perscrutar por trás das máscaras sociais. E seus instintos lhe diziam que, por trás da aparência relaxada, o rapaz de olhos azuis e cabelos lisos castanho-claros, caminhando a seu lado pela Marina da Glória, detinha vida inteligente.

E onde há vida inteligente, Enzo sabia, há um criminoso hábil em aparentar inocência.

— A gente não está mais seguro nem dentro de casa — disse Caio, que alternava o olhar entre Enzo, à sua direita, e Ricardo, à esquerda.

O sol do início da tarde incidia na água azul-escura do mar, que resplandecia, reverberando-se nos cascos das embarcações ancoradas. Na Baía de Guanabara, píeres flutuantes em madeira. No céu, gaivotas voavam, descendo às vezes em rasantes sobre as águas.

O rapaz a seu lado não lembrava em nada a criança gordinha que Enzo conhecera na residência da família. Tornara-se um homenzarrão alto, que ressaltava o corpo em forma usando camiseta esporte justa e bermuda de lutador.

Os três já caminhavam durante alguns minutos, conversando sobre o caso. Enzo esperava o momento certo para começar as perguntas.

— Pensando aqui — disse Caio —, se eu tivesse acordado e descido, pra ir beber água ou algo assim, eu podia ter ajudado meu pai.

— Você passou a noite na casa, então? — perguntou Enzo, tentando parecer casual.

— Sou um suspeito, velho? — Caio riu.

Naquele momento, Enzo teve a confirmação de que o rapaz era mais esperto do que aparentava. Decidiu abrir o jogo:

— Em um caso assim todos são suspeitos, Caio.

— Eu tinha combinado uma parada com um pessoal. Pra depois da ceia. Só que fiquei com dor de cabeça e fui dormir.

— Por volta de que horas?

— Umas duas.

— E não se levantou mais?

— Não.

Caio parou de caminhar. Enzo e Ricardo pararam em seguida. O rapaz apontou para o mar. À frente deles, uma escuna de dois mastros, com convés de madeira cor de chocolate.

— Essa é minha belezura — disse Caio. — Presente de aniversário do meu pai.

Despedindo-se, Caio caminhou rumo ao barco.

Enzo e Ricardo retomaram o caminho pelo píer, rumo à saída que levava ao Aterro do Flamengo. À esquerda deles, em um barco a vapor, jovens em trajes de banho bebiam cervejas ao som de música caribenha. À direita, uma barreira de concreto. Ricardo tirou o paletó. Sua camisa social estava encharcada nas axilas. No rosto de Enzo, suor.

A visão da copa das árvores no Aterro, logo adiante, avivou em Enzo as memórias do tempo em que vinha ali, com Ricardo e os outros amigos, para andar de bicicleta ou *skate*. Depois da falência do pai, pouco voltara: não gostava de recordar a vida que havia perdido.

— Enzo?

Ele olhou para Ricardo. Chegavam ao fim do píer.

— Está tudo bem? — perguntou o amigo. — Você parece disperso.

Enzo sentia, de novo, câimbras.

— O que Caio vai fazer agora? — ele perguntou a Ricardo.

— Velejar. De noite vai pra alguma balada.

— Em que ele trabalha?

— Trabalho? *Elle est bonne, celle-lá!* Ele sobrevive de mesada.

— Nessa idade? Seu pai aceitava isso?

— Nem um pouco — Ricardo afrouxou o nó da gravata. — Na verdade, os dois não se davam bem ultimamente. Devido à questão com drogas. Você talvez tenha lido sobre isso.

Enzo havia lido. Caçula dos três irmãos, Caio fora preso por tráfico de drogas há alguns meses, quando a polícia apreendera pílulas de *ecstasy* em um carro. Os passageiros, quatro jovens de classe média alta, disseram que haviam comprado a droga de Caio, de quem eram amigos. A polícia instaurou inquérito, sob intensa cobertura dos meios de comunicação. No fim, os quatro jovens e o próprio Caio haviam sido indiciados por uso; e o motorista do veículo – rapaz de classe social baixa – por tráfico. O processo tramitava no Judiciário.

— E quanto a você? — perguntou Enzo. — O que fazia na noite do crime?

Ricardo riu:

— Você me interroga?

Enzo devolveu o sorriso:

— Se você ainda é do tipo que dorme cedo...

— Adivinhou. Eu me recolhi ao quarto tão logo a ceia terminou.

— E sua esposa?

Ricardo fitou-o:

— Como?

— Sua esposa foi dormir na mesma hora que você?

— Nós nos divorciamos já há alguns meses.

Pela primeira vez desde o reencontro, Enzo enxergou alguma emoção no rosto de Ricardo: um leve tremor nos lábios. Porém, durou pouco mais de um segundo — e então o amigo assumiu de novo feições impenetráveis.

Quando chegaram ao estacionamento, Enzo refletia sobre como seria fácil para alguém indecifrável como Ricardo esconder a autoria de um crime.

Em um salto, o cachorro pastor alemão agarrou a bola de beisebol entre as mandíbulas. Mantendo-a presa, caiu com as quatro patas sobre o piso de madeira escura. Dando meia-volta, correu pelo escritório, desviando-se de três cadeiras *eggs*. Circundando uma mesa de vidro ladeada por uma luminária de piso, despejou a bola nas mãos de Victor Pinheiro, sentado em uma cadeira preta cujo espaldar lhe chegava até o topo da cabeça.

O executivo, de pomo de adão proeminente, rosto barbeado e cabelos pretos em corte curto, pôs a bola na mão esquerda e, com a direita, alisou a cabeça do cachorro. Vestia camisa social branca, paletó preto em corte italiano e gravata listrada azul. No pulso, um relógio de ouro rosado.

De alguma caixa de som embutida no teto saía música clássica. Devido a algum aromatizador embutido, o escritório cheirava a jasmim. O ar estava frio — dezesseis graus, talvez.

Após alisar a cabeça do pastor alemão algumas vezes, Victor ordenou que o animal se sentasse. O cão obedeceu de imediato, sentando-se ao lado da cadeira. Então, debruçando-se sobre a mesa e, cotovelos sobre a superfície, o executivo disse a Enzo, parado de pé à sua frente:

— Foi difícil agendar um horário. Ainda mais com Ricardo ligando tão em cima da hora.

Enzo via de soslaio a tela do computador do executivo, aberta em alguma página de notícias. Em uma matéria, o retrato de Victor, com um fundo branco atrás e o título: "Novo presidente viabiliza fusão de grupo nacional com estrangeiros".

— Onde está Ricardo, aliás? — perguntou Victor. Ele começou a jogar a bola de uma mão para outra.

— No escritório. Ele tinha que fechar o balanço de um cliente importante.

— O que você quer?

— No depoimento à polícia — disse Enzo — você mencionou que desceu à cozinha, de madrugada.

— Estava sem sono. Fui tomar um copo de leite e fumar um cigarro no jardim dos fundos.

— A que horas?

— Três em ponto — disse Victor.

— Como você pode ter tanta certeza?

— Simples: vi no relógio.

— E quanto tempo você ficou lá? — perguntou Enzo.

— Uns dez minutos. Não aguentei mais que isso. O jardim estava com cheiro forte.

— De onde vinha esse fedor?

— Da fossa — disse Victor. — Ela fica depois do muro de trás do terreno. Estava aberta, acho que em manutenção.

— Você chegou a ver ou ouvir algo no jardim? Um vulto, um som?

— Só vi os dois cães de guarda. Dois *bullmastif*. Conhece a raça? Porte bonito. Faro apurado.

— Não farejaram o sangue de Heitor.

— Você não sabe de nada de cachorros? O faro deles é apurado, mas o raio de alcance é pequeno. Precisam chegar perto pra sentir o cheiro.

Enzo sabia disso. Ele só queria confirmar se Victor *também* sabia.

— Eles latiram? — perguntou Enzo. — Fizeram algo estranho?

— Fizeram um escarcéu comigo assim que desci. Só se aquietaram quando o segurança chegou.

— Você chegou a ver seu pai quando desceu?

— Eu só o ouvi — disse Victor. — Quando estava subindo a escada, escutei vozes na biblioteca. A de papai e outra...

— Valentina?

— Não tenho certeza. Estavam abafadas pela parede e pela porta. Pensei que fosse a jornalista que escreve a biografia dele. Que estivessem trabalhando.

— A jornalista estaria aqui às três da madrugada? — perguntou Enzo.

— Ela estaria aqui na hora em que meu pai chamasse. Do contrário, ia ser dispensada. Meu pai não tolerava corpo mole.

Enzo deu com os olhos em uma moldura sobre a escrivaninha: dentro do caixilho, fotos de uma mulher e uma adolescente — ambas sorrindo, com uma praia ao fundo.

— Sua esposa e filha — perguntou — estavam na casa?

Victor demorou alguns segundos até responder:

— Elas passaram o Natal em Minas Gerais. A família de minha esposa é de lá.

Pelo olhar de Victor ao responder, Enzo pressentiu que em breve novo divórcio afetaria a família Pinheiro.

7

Sentado a uma mesa branca com tampo de vidro, vestido em um jaleco branco, Thiago Vasconcelos lia alguns papéis dentro de uma pasta de arquivo. Ao mesmo tempo, tamborilava na superfície da mesa com uma caneta esferográfica tampada.

Enquanto lia, via de soslaio que Enzo, sentado à frente dele, passava em revista o consultório. Ora o amigo examinava a estante marrom e branca à esquerda de Thiago, onde se enfileiravam compêndios médicos; ora a divisória de madeira atrás do médico, utilizada para exames simples em uma maca; ora um lavatório, a um canto da parede. Thiago se deu conta de que Enzo jamais estivera ali antes.

Depois de alguns minutos, ele largou a caneta sobre a mesa e, fechando a pasta, devolveu-a para Enzo.

— Até onde pude perceber — disse —, não tem furos nesse laudo pericial.

— O calmante estava na dosagem normal, então? — perguntou Enzo.

— A benzodiazepina, você diz? Sim.

— O calmante não poderia ter diminuído a resistência dele? — perguntou Enzo. — Incapacitado ele de lutar? Como se ele estivesse dopado?

— Não nessa dosagem.

— E a medicação cardíaca?

— Estava na dosagem recomendada pra alguém com três infartos.

Thiago pegou um chocolate em uma caixinha de vidro sobre a mesa, abriu a embalagem e começou a comê-lo em pequenas mordidas, enquanto conversava com Enzo:

— Por que Heitor usava calmantes, afinal?

— O psiquiatra dele alegou sigilo profissional pra não dar muitos detalhes à polícia. Só deu a entender que envolveria um caso extraconjugal.

— Alguém sabia que ele tomava calmantes?

— Só a esposa.

— Estou curioso, Enzo…

— Saudades dos tempos de escritório?

— … quem estava na casa no momento do crime?

— A esposa, os filhos, um segurança, a governanta e uma doméstica.

— As câmeras gravaram alguma movimentação dentro da casa?

— Não tem câmeras dentro da casa — disse Enzo.

— Bem… — engolindo o último pedaço do chocolate, Thiago amassou a embalagem com as mãos. — Você tem muito trabalho pela frente.

— Por isso preciso de você.

Na iminência de jogar a embalagem amassada em uma lixeira aos pés dele, Thiago parou, o plástico preso entre os dedos da mão direita.

— Precisa de mim? — perguntou.

— Pra você fazer o que conseguia tão bem quando trabalhava pro escritório. Preciso que você seja meu olho em Medicina Forense.

Thiago deixou cair a embalagem na lixeira.

— Eu nunca gostei de investigações, Enzo. Aquele trabalho foi só pra eu juntar dinheiro pra montar esta clínica.

— Olha só: eu não confio no inquérito do Magalhães.

— Eu tenho minhas consultas, ora essa. Não posso largar tudo assim.

— Thiago, se Valentina for inocente, eu e você somos a única chance dela.

Thiago ficou calado por alguns segundos. Pegando a caneta, voltou a tamborilá-la sobre a mesa, o olhar a esmo pelo consultório enquanto pensava na proposta de Enzo.

A ideia de ficar longe do consultório não o agradava. Até porque a quantidade de clientes aumentava a cada mês. Continuasse assim, teria dinheiro para, já no próximo ano, começar a se especializar. Não era o momento de arriscar uma aventura.

Porém, ao reviver, naquele instante, por alguns segundos, os tempos no escritório de investigação, teve de reconhecer que havia gostado daquela época. O salário baixo, comparado à renda que tirava na clínica, compensava-se pela adrenalina, pela quebra da rotina — algo de que sentia falta, tinha que admitir a si mesmo.

E que mal há, pensou, *em um único caso?*

8

E

nzo tomou o último gole de café da xícara.

De pé, na varanda da casa da mãe, ele contemplava a rua à frente. Deserta. Poucos carros — vazios, estacionados no acostamento. Nas calçadas, várias figueiras, cujas copas entrelaçadas sombreavam o asfalto.

Enzo ouvia, dentro da casa, a mãe e a irmã recolhendo os pratos e talheres utilizados no jantar. No ar, ainda, o cheiro de bife à parmegiana.

A mãe parecera bem durante a refeição. Ou tentara passar essa impressão... Enzo desviou os pensamentos para a investigação.

Teve que admitir a si mesmo: não tinha nada.

Tudo que lera sobre o caso, tudo que Magalhães lhe passara, tudo que conseguira das entrevistas com os irmãos — tudo isso só lhe dera um cenário coerente, onde os acontecimentos se encadeavam como que em um roteiro de filme. E ele sabia por experiência que os criminosos se refugiam na coerência. Afinal, na vida real, os inocentes não sabem dizer com precisão o horário em que fizeram as coisas — nem mesmo o motivo de tê-las feito; criminosos, por outro lado, sempre têm uma história pronta, redonda, sem furos.

Sempre havia porém pontas soltas — e ele, Enzo, desvendava os casos ao descobri-las: elas eram como uma pitada a mais de tempero em uma comida: por mínima que fosse, afetava todo o sabor — e bastava um paladar treinado para identificar o condimento destoante.

Enzo já se preparava para retornar à sala de jantar, a mão direita buscando a xícara sobre o parapeito à frente, quando pensou ter visto algo.

Ou melhor: *alguém*.

Podia jurar que vira um vulto, à esquerda dele, na calçada oposta, embaixo de uma das figueiras. As sombras impediam-no de ver com clareza, mas ele percebia que alguém ali parecia se acobertar na escuridão.

Colocando as mãos dentro dos bolsos da calça *jeans*, Enzo desceu pela escadinha de madeira. Caminhou até a calçada, a passos lentos, olhando para os lados e para o alto — tentando aparentar casualidade.

Na calçada, ele se recostou à grade do portão aberto. Ainda com as mãos nos bolsos, passou a olhar, de soslaio, para o tronco da figueira onde parecera ter visto alguém.

Enzo ficou alguns minutos nisso. Não percebeu nenhum sinal de movimento, ou da presença de alguém. Será que se enganara? Ou será que o outro, receando a presença do investigador, ficara imóvel — ou mesmo fugira?

Ele pensava no que fazer quando, à sua direita, um carro dobrou a esquina, adentrando a rua. Por um segundo, as luzes dos faróis incidiram sobre o tronco da figueira — permitindo que Enzo visse, em relance, um vulto se escondendo por detrás da árvore, submergindo nos vestígios de trevas que ainda resistiam à luz. Quando o automóvel passou adiante, a figueira mergulhou de novo na escuridão.

Enzo, correndo, cruzou a rua. Na calçada oposta, dobrou à esquerda e chegou em poucos segundos ao tronco.

Não havia ninguém ali.

Ele procurou ao redor.

Difícil de enxergar, devido às sombras das árvores.

Não viu ninguém.

A respiração de Enzo começou a acelerar. Os batimentos cardíacos, também.

Ele se curvou, as mãos sobre os joelhos, e deu uma longa inspiração. Depois outra. E mais outra, e outra... até que sua respiração, aos poucos, regularizou-se.

Só então ele pôde pensar sobre o que ocorrera.

Quem o espionava? Por quê?

De imediato, Enzo se recriminou pela segunda pergunta. Afinal, a resposta era tão óbvia: aceitara um caso envolvendo uma das famílias mais ricas do país — que interesses não havia por trás do assassinato?

Interesses para os quais ele se tornara um obstáculo...

Erguendo-se, Enzo chegou a pensar em percorrer as ruas, a esmo, à procura de alguma pista. Antes que se decidisse, viu Alicia aparecer à porta. Não o encontrando, ela desceu pela escadinha, chamando-o.

Ele correu para junto dela, já pensando em alguma história que não deixasse nem a irmã nem a mãe preocupadas.

9

O homem negro à frente de Enzo e Thiago usava cabelo raspado nas laterais e na nuca, com um volume no topo. Seus olhos eram pequenos, encimados por um cenho franzido; o pescoço, os ombros e o dorso; largos. Vestia camisa social branca com terno, sapatos e gravatas pretos. Trazia à altura do peito esquerdo, dentro de um coldre a tiracolo, uma pistola.

— A senhora Eduarda os aguarda, senhores — disse ele.

— Esse lugar — respondeu Enzo — é muito agradável.

Ele se referia ao jardim frontal da mansão Pinheiro, onde estavam. O gramado começava no muro. Estendia-se dali até a residência, cortado por um caminho de pedras. Aqui e ali a grama dava lugar a bromélias e palmeiras.

— Patrão Heitor tinha bom gosto — disse o segurança.

— Você trabalhou pra ele por muito tempo, senhor...? desculpe, seu nome?

— Walter. Walter Martins. Eu trabalhei uns cinco anos pro patrão.

— Walter... Walter... sim, era você que estava de plantão na madrugada do crime.

— Já disse tudo que sabia pra polícia, doutor.

— Segundo o inquérito, só tinha você de segurança naquela noite.

— Aqui sempre é um vigilante por turno.

— Um só segurança pra uma mansão desse tamanho? — perguntou Enzo.

— A casa tem proteção eletrônica. Fora os cachorros.

— Ah, sim, os cachorros. Algum deles latiu, ou se comportou de modo estranho, na madrugada do crime?

— Bem, agora que o doutor perguntou — disse Walter —, eu me lembrei que eles correram e latiram. Na primeira vez por causa do seu Victor, na varanda.

— Ele ficou na varanda o tempo inteiro? Ou chegou a ir pro jardim?

— Os cachorros latiriam pra qualquer um que pisasse na grama.

— Eles são assim com todos? — perguntou Enzo.

— Eles só não latem pros que moram aqui.

— E da segunda vez? Por que eles latiram?

— Não sei — disse Walter. — Foi no jardim de trás. Perto do muro. Quando cheguei lá, já tinham se acalmado.

— Que horas eram?

— Umas três e meia.

— Será que alguém tentou pular o muro? — perguntou Enzo.

— Teria que ser um atleta, doutor. São cinco metros de concreto.

— Eletrificado?

— E com alarme. Quem conseguisse pular ia dar de cara com uma equipe armada antes de pisar na grama.

— E não há outros meios de entrar? Alguma porta que ligue o jardim à parte externa? Que alguém pudesse violar?

— Tem a porta de serviço — disse Walter. — Só que é de madeira grossa, demoraria pra arrombar. E também iria acionar o alarme.

— E sair? Alguém conseguiria sair da mansão por essa porta?

— Bastava ter a chave — disse Walter.

— E quem tem essa chave?

— Qualquer um. Ela fica em um claviculário na área de serviço. Só que ninguém entrou… Então quem iria sair?

— Por que você acha que os cachorros latiram?

— Acho que foi a fossa. Tinha vezes que o vento soprava forte e espalhava o mau cheiro pelo jardim inteiro.

— E as câmeras? Elas registraram algo incomum? — perguntou Enzo.

— As da frente não — disse Walter.

— E a de trás?

— Elas tavam quebradas naquela madrugada.

— Desde quando? — perguntou Enzo.

— Desde a véspera.

— Quem sabia que as câmeras não estavam operando?

— Todo mundo na casa sabia.

Encimada por telhados sobrepostos, a mansão constituía-se de dois pisos. No primeiro, paredes brancas em forma de arcos davam acesso a um corredor, por onde se chegava à entrada principal da residência. No segundo, uma varanda com amurada de metal e coberta por telhas germânicas circundava toda a casa. Por ambos os pisos, distribuíam-se, envoltas por caixilhos de madeira, janelas e portas envidraçadas, nas quais os raios do sol do fim da tarde se refletiam com tanta intensidade que Thiago teve que desviar os olhos da casa, após olhá-la só por alguns segundos.

Seguindo pelo gramado, o segurança e os dois visitantes ladearam pela direita a residência. Ali, a grama dava lugar a um caminho de madeira, ladeado por tocos de árvore soltos. Alguns metros depois, a madeira cedia lugar aos azulejos de uma piscina de borda infinita, integrada à grama — que no jardim dos fundos voltava a predominar, tão extensa quanto no da frente.

A piscina ligava-se à residência por um alpendre, arrodeado por palmeiras imperiais.

Nele, surgiu uma mulher de cabelos escuros curtos, presos atrás da cabeça por um lenço. Vestia avental branco sobre um uniforme preto de colarinho. Tinha sobrancelhas finas — quase invisíveis em meio à cor negra do rosto —, bochechas acentuadas, nariz achatado e lábios grossos.

Descendo por uma escadinha de pedra, a mulher acessou a área da piscina e caminhou rumo aos visitantes. Ao chegar perto, dispensou Walter com um movimento de cabeça. Enquanto o segurança saía, ela parou defronte aos dois visitantes.

— Seu Enzo? — ela perguntou. — Quando dona Eduarda me disse o nome, nem acreditei.

— Bom rever a senhora, dona Matilde — apertaram-se as mãos. — Fiquei surpreso ao ler no inquérito que você ainda trabalhava pra Heitor Pinheiro. Quantos anos, no total, você trabalhou pra ele?

— Uns trinta. Eu conheci ele quando trabalhava como enfermeira.

— Você já foi enfermeira? Mesmo?

— Como diploma e tudo, seu Enzo.

— Agora que você falou, eu me lembro... Quando eu vinha aqui, via você com uns livros na mão. Eram de enfermagem?

— Nunca deixei de estudar. Mesmo depois que virei governanta. Meu registro ainda tá em dia. Eu atendo parentes, amigos, gente da comunidade...

— E por que Heitor precisou de uma enfermeira? — perguntou Enzo.

— Foi depois do primeiro enfarto. Quando ele se recuperou, me ofereceu o emprego. Pagava mais do que eu ganhava no plantão do hospital.

— Dona Matilde, onde você estava quando ele foi morto?

— Cruzes, seu Enzo! — ela colocou os dedos da mão à frente da boca. — O senhor acha que fui eu?

Enzo riu:

— Desculpe, mas eu preciso perguntar.

— Bem… — ela deixou as mãos caírem sobre o avental. — Depois da ceia, Dona Eduarda pediu que eu fizesse um chá pro seu Heitor. Depois, fui dormir.

— A que horas?

— Umas três.

No alpendre, apareceu uma criada. Ela carregava, sobre uma bandeja, uma travessa com brioches. Tinha pele parda e cabelos castanhos encrespados até os ombros, penteados para o lado esquerdo. Usava vestido azul e avental branco. Enzo continuou a conversar com Matilde, mas sem tirar os olhos da doméstica:

— Onde a senhora dorme?

— Na residência da governanta — ela apontou com o dedo indicador direito para uma ala anexa à mansão, um pouco mais afastada da piscina e que se ligava à residência principal por um corredor coberto.

No alpendre, a doméstica colocou a bandeja sobre uma mesa de refeição, cercada de jardineiras e cadeiras reclináveis.

— Somente a senhora dorme lá? — perguntou Enzo.

— Naquela noite a Suzana, uma das domésticas — e apontou para a mulher no alpendre — também dormiu. Tava muito tarde pra ela voltar pra casa.

Após deixar a travessa sobre a mesa de refeições, Suzana adentrou a casa, com a bandeja vazia.

— Seu Enzo, dona Eduarda pediu que eu os levasse à biblioteca. Ela vai encontrar vocês lá.

— Basta nos ensinar o caminho, Matilde.

— Seu Enzo, eu--

— Não queremos interromper seus serviços.

Que Enzo trama, pensou Thiago, *ao dispensar assim a governanta?*

Matilde fitou Enzo, calada. Acabou por dizer:

— Como queira, seu Enzo.

Seguindo as orientações de Matilde, Enzo e Thiago adentraram, pela porta do alpendre, a residência principal.

Deram de imediato com a sala de jantar.

Piso em granito. Painéis de madeira. Ao centro, uma mesa de refeição retangular com tampo de vidro, arrodeada por dez cadeiras em laca preta e encimada por dois pendentes em acrílico dourado. Sobre um aparador, garrafas coloridas, castiçais e um vaso de flores. Todo o aposento, refletido por uma parede envidraçada.

À esquerda deles, um pórtico de madeira delimitava o início da sala de estar.

No chão, um tapete felpudo. Nas janelas, cortinas de seda transparente. No teto, sancas com lustres de cristal. Sobre um sofá Luís XV, almofadas de veludo. Sobre uma mesa de centro em mármore, um abajur de porcelana. Junto a uma parede, uma escada preta com degraus plissados e corrimão de vidro levava ao segundo andar, onde deviam ficar os quartos.

Ao fim da sala de estar, um segundo pórtico de madeira delimitava o início do *hall* de entrada. De onde estava, Thiago só alcançava com a vista uma adega climatizada e, separado do ambiente por uma porta de vidro, um jardim de inverno.

Poucas vezes ele entrara em um ambiente assim. Na verdade, desde o momento em que haviam chegado, ele se movia com cautela, como se pisasse em brasas. Já Enzo, movimentava-se com uma naturalidade que Thiago só podia atribuir ao fato de que o amigo crescera naquele mundo.

Na sala de estar, uma porta levava a um cômodo: a biblioteca, segundo as orientações de Matilde.

Thiago já caminhava rumo ao cômodo quando Enzo o segurou pelo braço. O investigador apontou com o dedo indicador para outra porta, ali mesmo, à frente deles, ao lado direito da mesa de refeições.

Entraram na cozinha.

Suzana enxugou as mãos em um pano de prato. Colocando-o sobre a bancada da pia, junto a um escorredor de louças pendurado na parede, no qual se enfileiravam pratos de porcelana recém-limpos, virou-se para Enzo e Thiago:

— Fui dormir cedo. Assim que limpei as louças da ceia.

Os olhos dela tinham sombras na pálpebra superior. O rosto, de maçãs salientes, exibia marcas de antigas espinhas. A maquiagem lhe suavizava a cor parda da pele — para o que também contribuía a luz alaranjada do sol poente, que penetrava por uma janela envidraçada. O uniforme escondia um corpo que parecia torneado.

— Só você e Matilde ficaram com a obrigação de arrumar tudo? — perguntou Enzo.

— Ainda tinha coisa pra arrumar. A Matilde disse que eu tinha trabalhado muito, que eu devia ir dormir.

— Por volta de que horas?

Virando-se um pouco para a direita, Suzana caminhou três passos até um balcão de pedra anexo à parede, enquanto dizia:

— Umas duas e meia.

Firmando-se sobre a ponta dos pés, os músculos das batatas das pernas ressaltando-se com o movimento, Suzana abriu a porta de um armário em mogno, suspenso. De dentro, tirou um recipiente, que colocou sobre o balcão.

— Durante a ceia — disse Enzo —, você notou algo de estranho?

Suzana abriu o recipiente. Retirou dele uma cápsula de café e, andando dois passos para a direita, parou defronte a uma máquina de café expresso.

— Tudo parecia tranquilo — ela disse.

Suzana colocou a cápsula na máquina e ligou o aparelho. O equipamento começou a operar, emitindo um ruído. Ela se virou para Enzo e Thiago, a mão direita apoiada sobre o balcão.

— Você chegou a ouvir alguma conversa — disse Enzo — ou trecho de uma, que indicasse que Heitor estava com algum problema?

Suzana lançou a vista, por alguns segundos, para as três luminárias suspensas sobre o teto. Parecia que forçava a memória, antes de responder:

— Não que eu me lembre.

Mal terminara de falar, ela cravou os olhos na porta, por cima dos ombros deles. Enzo e Thiago seguiram o olhar dela.

Depararam-se com Matilde, à porta.

— Seu Enzo — ela disse, as mãos na cintura —, aqui não é a biblioteca...

Enzo passou em revista a cozinha, pela qual o cheiro do café já começava a se espraiar. Então, fitando Matilde, disse com um sorriso:

— Erro meu.

Descalço e sem meias, Enzo se aproximou das costas de uma poltrona de veludo preto brilhante. A cada passo seu, o piso de madeira marfim estalava. Colocando a mão esquerda sobre o espaldar do móvel, ele moveu a outra mão — cerrada como se segurasse uma faca invisível — da esquerda para a direita.

Recuando dois passos da poltrona, as mãos agora caídas junto ao corpo, Enzo se virou. Passou os olhos pelo aposento.

À frente dele, uma escrivaninha. Mais adiante, uma janela, ladeada por dois vasos de flores e por cuja vidraça se via o jardim frontal da mansão. À direita, uma estante em madeira de lei escura, abarrotada de livros — a maioria, antigas coleções de capa dura. À esquerda, sobre uma bancada rente à parede de granito, um cofre eletrônico. No meio do aposento, dois sofás, ao redor de uma mesa de centro de pés cromados.

Enzo vasculhou as gavetas da escrivaninha. Examinou o cofre. Então, voltou a passar em revista o cômodo. Deteve o olhar no canto da parede à sua esquerda, perto da porta que levava à sala de estar. Aproximou-se. Pendurada ali, uma barra magnética horizontal — onde ficava a faca utilizada no crime.

O investigador retornou para junto da mesa de centro, perto da qual Thiago, de pé, observava a tudo em silêncio.

O médico sentia calafrios desde que entrara ali. Tinha a impressão de que a personalidade de Heitor Pinheiro se impregnara naqueles móveis e livros. É certo que os anos de residência como plantonista haviam-no acostumado à morte. Porém, nenhum paciente que perdera em um leito de hospital lhe causara a sensação de vazio que sentia ali, na casa, na intimidade de quem já se fora.

Com alguma dificuldade em manter o equilíbrio, Enzo pôs-se a calçar de novo os tênis e as meias, enquanto conversava com Thiago:

— Olha só: é impossível se aproximar da poltrona sem fazer barulho.

— Barulho? Foi um ruído. Baixo.

— Heitor tinha sono leve. Qualquer ruído despertava ele. Como ele não ouviu alguém chegar por trás? E por que não lutou? Será porque o corte foi na jugular?

— Mesmo com a perda de sangue ele poderia ter se levantado, se ajoelhado, se debatido, se arrastado pelo chão.

— Do jeito que ocorreu — Enzo terminava de calçar o segundo tênis —, é como se ele esperasse a morte.

— "Esperasse a morte?" — perguntou uma voz vinda da porta.

Virando-se, Enzo e Thiago se depararam com uma mulher loura e bronzeada, com um copo de suco de laranja à mão. Ela acabava de passar pela porta e caminhava rumo aos dois.

A maquiagem dava ao rosto de Eduarda Pinheiro uma cor rosa. Ela usava um *legging* preto que lhe acentuava a musculatura das pernas. Um *cardigã* preto a cobria até os joelhos. Tinha lábios finos, encimados por um nariz reto e por sobrancelhas arqueadas. Os cabelos, cacheados e ondulados, caíam-lhe até os seios, mal contidos em um *top* branco. Movia-se com postura ereta e de modo tão suave que os tênis coloridos pareciam deslizar sobre o assoalho.

— Quem esperava pela morte? — perguntou ela, parando defronte ao dois.

— Eu apenas pensei alto, madame — disse Enzo.

— Presumo que seja o investigador. Ricardo me avisou por telefone. Sinceramente, não sei o que eu possa falar que já não tenha dito à polícia.

— Eu gostaria de fazer algumas perguntas, mesmo assim.

Eduarda olhou Enzo de alto a baixo, antes de dizer:

— O que deseja saber?

— Onde a senhora estava na madrugada da morte?

— Eu me retirei pro quarto assim que terminou a ceia.

— E dormiu em seguida?

— Eu estava insone e desci por volta de duas e meia pra tomar um copo de leite.

— Chegou a ver Heitor? — perguntou Enzo.

— Entrei na biblioteca pra averiguar como ele estava.

— E tudo ia bem com ele?

— Ele reclamava de indigestão — disse Eduarda. — Eu pedi à Matilde que preparasse um chá e servi a ele uma xícara.

— Só uma? A polícia encontrou a chaleira vazia na cozinha.

— Matilde fez o suficiente pra umas seis xícaras. Presumo que Heitor deva ter vindo à cozinha e se servido de mais.

— E depois? — perguntou Enzo. — O que você fez?

— Eu retornei ao quarto. Pouco antes das três. Dormi em dez minutos.

— Por que seu marido estava na biblioteca em plena madrugada?

— Ele revisava a biografia autorizada dele — disse Eduarda.

— E onde está esse texto? Não o encontrei na escrivaninha.

— Heitor guardava o manuscrito no cofre.

— Pra que tanto cuidado? — perguntou Enzo.

— O contrato com a editora é rígido no quesito exclusividade.

— Madame, de acordo com a polícia, somente o psiquiatra e a senhora sabiam que Heitor tomava calmantes.

— Meu marido me fez prometer que ninguém jamais tomaria conhecimento disso.

— Por que ele tomava calmantes?

— Até onde sei, ele andava preocupado com a situação financeira do grupo — disse Eduarda. — Desconheço detalhes: ele só conversava sobre negócios com Victor.

— A senhora se incomoda se eu ficar com a biografia dele?

Eduarda franziu o cenho, antes de perguntar:

— Que relação esse material pode ter com o crime, investigador?

Enzo sorriu:

— Prometo que o manuscrito estará seguro.

10

Sentado à mesa, Enzo folheava o manuscrito que Eduarda Pinheiro lhe dera.

— O que você espera encontrar aí? — perguntou Thiago, sentado à frente dele.

Sem responder, Enzo continuou a folhear o original — cerca de 300 folhas, presas entre si por um fixador metálico. O investigador apoiava o material sobre a mesa, tendo o cuidado de não esbarrar com ele no prato à frente, com restos do jantar.

— Enzo, você não pode ver isso dep--

— Olha só — Enzo ofereceu a Thiago o manuscrito, aberto em uma página.

Thiago pegou o material e começou a lê-lo.

— Ignore o texto digitado — disse Enzo. — Preste atenção nas marcações.

Ele se referia a marcações à caneta — nas margens, no cabeçalho e rodapé das páginas. Thiago tentou lê-las, mas se pareciam com garranchos.

— Ele tinha uma caligrafia horrível — disse.

— Na verdade, não — Enzo pegou o manuscrito de volta e pôs-se a recuar as páginas. — A letra fica ruim a partir de um determinado momento. Na maior parte, é esta aqui.

Ele segurou o manuscrito à frente de Thiago. Na página aberta, marcações em forma cursiva, semelhantes às dos cadernos de caligrafia.

— Quando a letra muda? — perguntou Thiago.

— Nas últimas dez páginas. Talvez as últimas em que ele trabalhou. Na noite do crime.

— E o que isso significa?

Enzo fechou o manuscrito, colocando-o sobre a mesa, ao lado do prato:

— Talvez a jornalista saiba. Marquei com ela pra daqui a pouco.

Uma garçonete se aproximou da mesa. Tinha o cabelo castanho-claro curto repicado nas pontas, com uma franja que lhe caía sobre o olho direito. A maquiagem realçava a cor bronzeada do rosto. Vestia um uniforme todo branco: sapatos de salto alto, chapéu *clochê,* avental com listras vermelhas e vestido curto de mangas longas decotado em "V".

— Mais um drinque, Enzo? — perguntou ela, com um sorriso, segurando uma bandeja vazia.

— Outro *King Cole*, Patrícia. Peça pro *barman* colocar um pouquinho mais de Fernet Branca.

Ela consentiu com a cabeça, sempre sorrindo. Pegou a taça vazia e os dois pratos, colocou-os sobre a bandeja e partiu a passo firme em meio às demais mesas, nas quais homens conversavam alto enquanto fumavam charutos — a fumaça espessa das baforadas no ar refrigerado do restaurante, de paredes atijoladas e lustres no teto. Em um balcão, um *barman* servia bebidas. Sobre um palco, um homem em terno e gravata executava a um piano de cauda antigas canções da Bossa Nova.

— Onde você descobriu este lugar? — perguntou Thiago.

— É de um conhecido meu. Ele não faz muita divulgação. Quer uma freguesia mais exclusiva. Aliás, gostou do javali?

— Delicioso.

— Receita exclusiva da casa — Enzo pegou de cima da mesa um charuto e, com a mão esquerda, um cortador.

— Não sabia que você ainda fumava — disse Thiago, enquanto Enzo cortava a ponta do charuto, trocando em seguida o cortador por um isqueiro maçarico.

— Estou voltando agora — disse Enzo, usando o isqueiro para queimar o pé do charuto.

— Você tem certeza disso? A nicotina pode--

— Eu sei do risco, Thiago.

Enzo levou à boca a ponta do charuto, aspirando-a algumas vezes, até a brasa no pé se firmar.

11

Alguns segundos depois de Enzo tocar a campainha, uma senhora abriu a porta. Ela tinha bochechas inchadas e cabelos pretos curtos, firmados por presilhas. Usava um vestido longo estampado.

De imediato, a mulher passou Enzo e Thiago em revista com os olhos — avermelhados e rodeados por olheiras, por trás de óculos de aro grosso. *Ela tem dormido mal*, pensou Thiago. *Ou está sob* stress.

A senhora olhou para os lados, como para se certificar de que estavam a sós. Thiago acompanhou-lhe o olhar, com dificuldade de enxergar devido ao escuro da noite.

Não parecia haver ninguém naquela vila, no bairro das Laranjeiras. As portas das demais casas, trancadas. Uma ou outra janela entreaberta. No ar, fedor de restos de comida. Sacos de lixo abarrotados amontoavam-se a um canto próximo da rua. As residências se perfilavam em duas filas, separadas por uma viela de pedras que levava a um portão gradeado — por onde Thiago e Enzo haviam entrado depois de se comunicarem por interfone com a senhora, que já os esperava.

— Combinei de me encontrar com sua filha aqui hoje, senhora Lima — disse Enzo. — Ela escrevia a biografia de um homem cuja família me contratou. Mas não consigo contato com ela desde o começo da noite. Cai na caixa de mensagem.

— Bárbara avisou que o senhor vinha — ela fechou os olhos e abaixou a cabeça. — Eu devia ter ligado... pra desmarcar.

— Ela não está? — perguntou Enzo.

Raquel Lima ergueu a cabeça e fitou-o.

— Minha filha desapareceu. Eu já fui na polícia, mas não sei... se eles vão conseguir encontrar ela...

Ela cambaleou, ameaçando desmaiar. Teria caído, não tivesse se apoiado com as mãos na porta aberta.

Adiantando-se um passo, Enzo amparou-a pela cintura:

— É melhor a senhora se sentar.

Sempre amparando a mulher, Enzo levou-a para dentro. Thiago seguiu os dois, fechando a porta atrás de si.

Na sala, Enzo ajudou a senhora Lima a se sentar em um sofá de couro, rasgado em alguns pontos. Ao mesmo tempo, pediu a Thiago que trouxesse um copo d'água.

Thiago entrou na cozinha, de onde voltou, em segundos, com um copo de alumínio.

Enquanto a senhora Lima bebia água, Enzo e Thiago sentaram-se no sofá, a mulher entre os dois. Aguardaram até que ela colocasse o copo vazio sobre uma mesa de centro em madeira maciça, à frente dela.

— Quando foi a última vez que a senhora viu sua filha? — perguntou Enzo, sentado à direita dela.

— Ontem à noite. Ela se arrumou e saiu.

— Ela disse pra onde ia?

— Ia ver alguém.

— Disse onde? — perguntou Enzo.

— No Jardim Botânico. Só que antes de ela sair a pessoa ligou e remarcou pra São Conrado.

— Quem é essa pessoa?

— Ela nunca quis me dizer. Eles se encontravam em um bistrô no Jardim Botânico.

— Há quanto tempo ela via esse homem? — perguntou Enzo.

— Fazia alguns meses.

— Sua filha chegou a dar a ele algum presente?

— Alguns. O último, faz uns três dias.

— Que presente? — perguntou Enzo.

— Eu não vi. Ela já chegou com ele empacotado.

— Senhora, nos últimos dias sua filha estava preocupada com alguma coisa? Ou tendo um comportamento estranho?

Baixando a cabeça, Raquel coçou o queixo por alguns segundos. Então, erguendo os olhos para Enzo:

— Por que eu deveria falar com o senhor? Eu nem o conheço.

Enzo se inclinou um pouco, de modo a ficar mais próximo da mulher.

— Senhora Lima, eu posso encontrar sua filha. É o meu trabalho.

Ela cruzou os braços, deitando os olhos sobre o chão. Ficou assim por alguns segundos, até que, descruzando-os e firmando o olhar em Enzo, pôs as mãos sobre os joelhos e disse:

— Ela tava estranha, sim.

— "Estranha" como?

— Dormia mal. Fazia ligações no meio da noite. Quando as fazia de dia, se afastava, ia pro jardim... como se fosse pra eu não ouvir.

Enzo ergueu-se da cadeira.

— Se a senhora não se incomoda — disse —, eu gostaria de ver o lixo.

Ao volante do carro, Enzo entregou a Thiago um envelope de plástico transparente. Dentro, um recibo em papel amarelo, pelo qual Thiago passou os olhos.

O recibo registrava a compra de uma roupa, há cerca de uma semana, em uma loja conhecida pelo alto padrão.

O carro rodava na avenida Praia de Botafogo. O trânsito fluía. À esquerda, no calçadão, andantes — sós, em grupos ou acompanhados de cachorros. À direita, alguns transeuntes saíam do Botafogo Praia Shopping com sacolas de compras; outros comiam cachorros-quentes de carrinhos ou examinavam LPs antigos que um camelô expunha no chão, à venda.

Após terminar de ler o recibo, Thiago pôs os olhos em Enzo:

— Você voltou pra sala dizendo que não tinha encontrado nada no lixo.

— Eu não sabia se podia confiar na senhora Lima.

Thiago pôs o envelope com o recibo sobre o painel de instrumentos.

— Pra que este recibo, afinal? — perguntou, os olhos na rua.

— Com ele, vou à loja amanhã pra descobrir algo sobre o amante da jornalista. Uma mulher apaixonada talvez tenha mencionado algo às vendedoras.

— Uma loja tão reputada não vai falar sobre um cliente pra um investigador que apareça assim, de repente.

— Você se surpreenderia com o quanto as pessoas falam. Tudo depende de pra *quem*.

Enzo pegou na bandeja algumas folhas de papel A4 que tinham acabado de sair impressas do aparelho multifuncional.

Estavam no escritório do apartamento dele. O multifuncional ficava sobre uma bancada branca, junto à parede que dava para a porta. Acima dele, uma estante com livros de Direito e Criminologia. Ao lado, uma escrivaninha de madeira, sobre a qual Enzo colocou as folhas, após grampeá-las. Sentando-se à frente do *laptop*, de costas para a janela, ele começou a acessar um *site*.

— Encomendei levantamento sociofuncional de todos os suspeitos — disse. — E de todos os parentes próximos.

— Pra que dos parentes? — perguntou Thiago, sentado em uma cadeira em frente à escrivaninha.

— Às vezes um parente endividado ou em tratamento de saúde faz com que a mais insuspeita das pessoas cometa um crime.

— Descobriu algo?

— Durante alguns anos — disse Enzo — Ricardo Pinheiro teve seu nome incluído e retirado da lista de inadimplentes. Várias vezes. De três anos pra cá, não mais.

— Como você descobriu algo assim tão rápido?

— Tem empresas especializadas nesses levantamentos. Basta pagar uma mensalidade. Veja — Enzo apontou para a tela do *laptop*.

Thiago ergueu-se, circundou a escrivaninha e, debruçando-se sobre o *laptop*, examinou o *site* que Enzo acessava. Sobre um fundo negro, via-se em vermelho o nome completo de Ricardo Pinheiro; logo abaixo, três subjanelas; em cada uma, alguma informação sobre o nome em análise.

— Digito *login* e senha — disse Enzo — e tenho acesso a essas informações.

— E o que mais descobriu sobre Ricardo?

— Os investimentos dele, até então em declínio, voltaram a crescer. Também de três anos pra cá.

— Isso também está no levantamento funcional?

— Tenho amigos na Receita. Ah, também fiz isso, olha só.

Enzo expandiu a uma janela de *site*.

Um perfil de rede social. Na foto, sorrindo, um jovem de óculos escuros e boné azul, sem blusa, sobre o convés de um barco.

— Quem é esse? — perguntou Thiago.

— Um perfil falso. Pra termos mais informações sobre os negócios da família Pinheiro.

— Quem é o rapaz? — perguntou Thiago. — Digo, no falso perfil?

— Um jovem que acabou de ganhar uma herança, à procura de potenciais parceiros de negócios.

12

De pé, junto ao balcão envidraçado da lanchonete, Enzo consultava o celular.

Algumas mensagens à espera de resposta.

Ele não respondeu nenhuma. Só tinha cabeça para o caso.

O atendente, de blusa e boné amarelos, entregou-lhe um copo de plástico cheio de suco de tangerina.

Depois de agradecer, Enzo bebeu um gole. Batida no gelo, e com um frescor que lhe subiu até as têmporas, a bebida lhe aliviou a garganta, que estivera seca na maior parte do dia — mais seca do que ele gostaria de admitir...

Após um segundo gole, Enzo colocou o copo sobre o balcão, por cuja vidraça se viam fatias de pizza, salgadinhos e doces. Atrás, um outro balcão, de granito, com dois níveis: na base, armários; na parte superior, duas prateleiras — uma com energéticos e isotônicos, outra com frutas.

Enzo já levava o copo aos lábios para outro gole quando teve a sensação de que alguém o observava.

Pondo o copo de volta no balcão, ele virou o corpo inteiro, procurando, à esquerda e à direita, por alguém.

A seu redor, dentro do estabelecimento e na calçada fora, os fregueses da lanchonete se aglomeravam — alguns sentados ao balcão, outros de pé.

Som de conversas em voz alta. Risadas.

Ninguém parecia observá-lo.

Mesmo assim, Enzo *sentia* a presença de alguém — a avaliá-lo, a vigiá-lo.

De repente, ele entreviu, de soslaio, com o canto do olho direito, a poucos passos dele, um vulto — que parecia espioná-lo.

Virou o rosto rumo à visão.

Ninguém.

Súbito, ao virar o rosto de novo, rumo à rua, Enzo viu:

Na calçada, alguém abria caminho, aos empurrões, em meio aos fregueses aglomerados.

Enzo correu-lhe ao encalço, abrindo espaço entre os fregueses a cotoveladas, seguidas de pedidos de desculpa.

Ao chegar ao meio-fio, olhou ao redor.

Ninguém.

Enzo se deixou ficar ali por alguns segundos, na expectativa de ver algo. Então, desistindo, voltou à lanchonete.

Perguntava a si mesmo se havia visto alguém — ou se apenas imaginara.

Amanda estava preocupada com Enzo. Só naquele dia, ele bebera quase uma garrafa de uísque. Usara o restante da bebida para preparar um drinque de cor amarela, com pedras de gelo e rodelas de laranja dentro.

Ele bebia o drinque agora, em uma taça de coquetel, sentado à cabeceira, à mesa de refeições, na sala, enquanto comia espaguete e uma carne vermelha. À esquerda dele, Amanda comia só o espaguete, com um copo de suco de laranja.

Ela sabia por que Enzo começara a beber daquele jeito.

A investigação.

Ela ainda se lembrava do quanto ele bebia nos tempos de investigador.

Amanda jamais compreendera por que o marido trocara a carreira de advogado pela de investigador. Ainda mais tendo ingressado, recém-formado, em uma firma na qual a maior parte dos advogados daria tudo para trabalhar. Ela achava que Enzo nascera para mais do que correr atrás de pistas. E se o caso Pinheiro o fizesse voltar, em definitivo, para aquilo? Desde que Enzo começara a trabalhar no caso, Amanda via — nos olhos dele, no modo de falar, de andar, na postura — uma energia que, ela bem sabia, não se diferenciava da excitação de um usuário de drogas, ou da adrenalina de quem se lançasse a um precipício.

Ela decidiu puxar assunto. Precisava esquecer os pensamentos que a assolavam.

— Não sei como você consegue engolir essa carne, Enzo — disse, apontando com o garfo para o prato do marido. — Quase crua.

— Avestruz tem que ser servido assim, querida.

— Essas carnes custam caro...

Enzo tomou um gole do drinque e, a taça suspensa à frente:

— *Old Fashioned* é melhor com *bourbon*.

— ...e o uísque pra esses drinques também.

— Dinheiro demais é ruim, querida. Vira problema — Enzo colocou a taça sobre a mesa. — E agora eu tenho um emprego.

— Você tem uma *tarefa*. E quando ela terminar? — ela tomou o cuidado de, na pergunta seguinte, pontuar todas as palavras: — Você vai aceitar outro caso?

— Olha só — ele largou o garfo no prato e tocou-a no antebraço. — Esse é o último caso, querida.

Enzo caminha sobre a calçada. Em uma das mãos, um saco plástico de supermercado. Na outra, a chave do carro.

Ele anda rumo a seu automóvel, no estacionamento aberto, a traseira do veículo voltada para a rua. Enquanto caminha, aperta um botão na chave. Com um ruído seco, o porta-malas do carro se abre.

Enzo está a dois passos do veículo quando, guinchando os pneus, uma moto para, na rua, em frente ao automóvel. No selim e na garupa, dois homens em roupas escuras, os rostos cobertos por capacetes.

O passageiro na garupa aponta um revólver para Enzo. O investigador larga o saco. As compras se espalham pelo chão.

O pistoleiro dispara. Uma, duas, três vezes.

Enzo não sente dor. Apenas uma pontada na barriga. De imediato, as pernas lhe falham. Ele cai. Escuta tiros. Gritos. Sirenes de carros de polícia.

Perde a consciência.

Enzo acordou. Soergueu-se na cama.

O quarto, completamente às escuras. As persianas da janela, fechadas.

Enzo respirava com dificuldade. Tinha as mandíbulas doloridas por trincar os dentes. Apalpou as bochechas — e a mão voltou impregnada de suor.

Procurou com os olhos por Amanda, a seu lado. Ela dormia. O bebê também, no berço.

Graças a Deus.

Ergueu-se da cama e saiu do quarto.

Na cozinha, acendeu a luz assim que entrou. Pegou na geladeira uma garrafa de água. O recipiente tremia em sua mão direita enquanto, com a outra, tirava um copo do interior de um dos armários suspensos. Aproximou-se da pia.

Com mãos trêmulas, encheu o copo até transbordar. Ainda segurando a garrafa, bebeu tudo, o líquido excedente esparramando-se sobre o dorso nu.

Deixando a garrafa e o copo vazio sobre a pia, apoiou-se com as mãos sobre a borda, os braços abertos.

Sua visão escurecera. A cozinha parecia rodar em torno dele. Tinha medo de tirar as mãos da borda da pia e cair. Respirava com dificuldade — em cada fôlego, um esforço como o de extrair metal precioso, a mãos limpas, das profundezas da terra.

Enzo sabia o que era aquilo. Mal começara a trabalhar no caso e os sintomas de pânico haviam começado a voltar. Primeiro, as câimbras. Depois, a sensação de garganta presa. E agora, tontura, vertigem e visão turva.

Ele tentou aplicar a técnica que aprendera com o psiquiatra para iminência de um ataque: pensar em coisas agradáveis e visualizar bons momentos em sua vida.

Não conseguiu.

Só conseguia pensar no que o psiquiatra lhe dissera em uma das sessões: que os portadores da síndrome do pânico muitas vezes carecem de uma figura de apoio, e isso os fragiliza.

Enzo se lembrou daquela noite, há tantos anos. Ele, criança, levantara-se da cama para pegar um copo d'água. Ao chegar à sala, indo para a cozinha, dera com os olhos na porta que levava à rua: aberta. Um pouco assustado, ele caminhava para fechá-la — quando seu pai entrou por ela.

Sem parecer ter notado o filho na casa às escuras, ele passou a vista pela sala. Então, deu alguns passos e pegou uma carteira de cigarros sobre uma cadeira. Já se virava para ir embora quando viu Enzo, a um canto da sala. Com o dedo indicador sobre os lábios, o pai lhe pedira silêncio — e então desaparecera pela porta.

Demoraria anos para que Enzo o visse de novo. Depois de muito procurar, acabaria por encontrá-lo, morando em um casebre, no interior do Rio de Janeiro, vivendo de biscates para os fazendeiros locais. Não conseguira fazê-lo voltar.

Enzo tentou mudar os pensamentos. Pensou nele próprio: em suas vitórias: a bolsa de estudos para um dos melhores colégios do Rio; o primeiro lugar no vestibular para a faculdade de Direito; o casamento com Amanda; o nascimento do filho.

Aos poucos, os sintomas começaram a desaparecer. Sua respiração se regularizou. Suas pernas, cambaleantes, voltaram a se firmar. Sua visão e equilíbrio também.

Ao voltar para a cama, Enzo sabia que teria um longo dia pela frente.

13

O homem, de óculos, pele ressecada e cabelos curtos grisalhos, vestido em um jaleco branco, terminou de folhear as páginas finais da biografia de Heitor Pinheiro. Fechando o manuscrito, ele colocou-o de lado, sobre a escrivaninha, e disse a Enzo, sentando à frente:

— Eu não arrisco a concluir nada no momento, senhor Rocha.

— Não é estranho como a letra muda?

O médico retirou os óculos, pondo-os sobre a escrivaninha, por onde se espalhavam de modo desordenado um bloco de papel aberto, guias de exames e um barquinho de madeira. A luz forte da manhã penetrava no consultório, suavizada pelas cortinas semitransparentes cerradas das janelas. Dependurados em molduras atrás do médico, certificados de cursos e treinamentos, na área de Psiquiatria.

— Já tenho uma hipótese sobre isso — disse o doutor.

— Qual?

— Senhor Rocha, eu não arriscaria a dizer algo prematuro. Isso poderia atrapalhar sua investigação.

Sem demonstrar, Enzo se irritou. *Não* mencionar a hipótese já o atrapalhava na investigação.

— De quanto tempo o senhor precisa? — perguntou.

— Dois dias — o médico se debruçou sobre a escrivaninha: — Só me esclareça: Heitor Pinheiro tinha algum distúrbio mental?

— De acordo com o psiquiatra dele, não.

Às duas da tarde, Thiago começou a se preocupar: Enzo ainda não aparecera.

De manhã, o amigo tinha ido à loja de roupas para obter alguma informação sobre o vestido que a jornalista comprara. Thiago aproveitara para colocar em dia as tarefas no consultório. E também para atender o máximo de clientes.

Agora, enquanto olhava para o relógio no pulso, perguntava-se onde o investigador se metera. Já tinha ligado para ele três vezes, mas a chamada caía na caixa de mensagens. Ele atendera ao último cliente do dia há uma hora. Desde então, para consumir o tempo, navegava na *internet*.

Será que devo continuar esperando?, pensava.

Já passava alguns minutos das três quando o telefone de fio sobre a escrivaninha tocou. Thiago atendeu.

— Doutor Thiago — disse a secretária, no outro lado da linha, na recepção do consultório — um homem pede pra ver o senhor.

— Enzo?

— Ele diz que se chama Jacó.

— O que ele deseja?

— Ele diz que tem informações de seu interesse.

— Mande entrar.

Alguns segundos depois, a porta se abriu. Por ela entrou um homem de cerca de um metro e setenta – talvez um pouco mais, já que era corcunda. Vestia camisa social lilás de algodão, abotoada até o pescoço, e calça de brim azul. Tinha cabelos compridos e grisalhos, barba de pelos brancos aparada ao estilo marinheiro e nariz adunco. Suas sobrancelhas, espessas e de pelos também brancos, juntavam-se no cenho.

Fechando a porta, o visitante, mancando da perna direita, os pés calçados em sapatos de camurça, caminhou rumo à mesa de Thiago. Amparava-se com a mão direita sobre uma bengala de madeira escura cuja ponta ressoava de encontro aos azulejos do assoalho, à medida que ele avançava.

Enquanto o estranho se aproximava, Thiago tentava adivinhar quem seria. Havia algo familiar nele, mas o médico não sabia o quê.

Ao chegar perto da cadeira defronte à escrivaninha, o visitante, agarrando-a pelo encosto, puxou-a para si e, firmando-se ainda mais sobre a bengala, sentou-se à frente de Thiago.

O médico tentava esconder a surpresa com aquele estranho visitante. Tentou manter o tom de voz profissional que utilizava com os clientes, ao perguntar:

— Em que posso ajudar, senhor Jacó?

Colocando as duas mãos sobre a bengala, o homem firmou os olhos em Thiago. Devido à baixa estatura, decorrente da coluna curvada, seu queixo quase tocava as mãos à frente. Thiago tentou lhe adivinhar as intenções pelos olhos, pelas expressões faciais e pela linguagem corporal. Não conseguiu. Limitou-se então a olhar fito o visitante, à espera de que ele tomasse a iniciativa de falar algo.

Depois de alguns segundos, o estranho finalmente disse, com um sotaque que Thiago nunca ouvira:

— O senhor encontra-se em perigo.

— Perdão? — com um volver de olhos, Thiago passou em revista o visitante. Não parecia portar arma.

— A investigação com a qual o senhor se comprometeu desassossega personalidades influentes, que não vacilarão em removê-lo do caminho. A você e ao seu impertinente parceiro.

— Ouça, senhor. Eu não sei quem é você, mas--

— Vocês precisam abandonar o país — a cada frase do homem, o maxilar inferior dele parecia se projetar para frente, como se ele forçasse os músculos faciais até o limite. — Austrália ou Nova Zelândia são as únicas localidades nas quais, talvez, vocês permaneçam a salvo.

— "A salvo"?

Thiago recuou um pouco a cadeira de rodinhas, afastando-se da mesa — e do visitante, que ele começava a considerar insano.

— Quem são *eles*? — perguntou. — Quem é o *senhor*?

Por alguns segundos ambos fitaram a vista um no outro, em silêncio. Thiago tentava imaginar como a investigação do caso Pinheiro poderia ter alguma conexão internacional. E se perguntava se o homem à sua frente era apenas um louco — ou se havia algum perigo real à espreita.

Onde está Enzo?, pensou. *Será que aconteceu algo com ele?*

Então, o visitante sorriu. Ficou ereto, com uma desenvoltura impossível a quem tivesse um problema real de coluna. Passou a brincar com a bengala, jogando-a, na vertical, de uma mão à outra. Quando falou de novo, foi em outra voz, que Thiago reconheceu de imediato:

— Te peguei.

— Enzo?!

— Você acreditou mesmo — disse Enzo, enquanto, inclinando-se à direita, punha a bengala sobre o assoalho.

Thiago cruzou os braços junto ao peito.

— Hilário, Enzo… Hilário… Com quantos anos você parou de crescer?

— Não fique chateado — Enzo começou a tirar a barba postiça. — Só quis alegrar seu dia.

— Onde você estava, ora essa? Por que demorou tanto?

— Antes de ir à loja, fui deixar a biografia de Heitor com o psiquiatra que você me indicou — disse Enzo. — O que você achou do disfarce?

— Por que se disfarçar?

— Você ficaria impressionado como os vendedores numa loja se dispõem a ajudar um turista em busca da filha que fugiu — ele terminou de tirar a barba, segurando-a na mão direita enquanto removia a peruca com a esquerda. Uma touca, presa com argamassa, ainda lhe revestia o couro cabeludo. — Ainda mais se a pobre garota tem compulsão por compras e um cartão de crédito.

— Eles falaram com você, então?

— A jornalista comprou um vestido — Enzo pôs-se a retirar a touca. — Ela estava saindo com uma mulher.

— Talvez fosse só uma amiga — disse Thiago.

— Um vestido desse valor? Nessa loja? Acho que não…

— Este lugar é bom — disse Enzo ao garçom de cabelos grisalhos que lhe servia uma dose de uísque com gelo.

Estavam no terraço, cercado e coberto, de um bistrô com mesas de azulejo e cadeiras de vime. Árvores circundavam o local. A um canto, as copas de três palmeiras se projetavam para dentro. Um dos lados do restaurante dava para a área urbana, com prédios e casas. O outro, para o Jardim Botânico, onde, sob a luz solar, cintilavam as águas de uma lagoa rodeada por árvores, arbustos e grama.

— É a primeira vez do senhor aqui? — perguntou o garçom, aprumando-se ao lado da mesa, garrafa de uísque à mão direita.

— Vim por indicação de uma amiga. Ela vem muito aqui.

Enzo pegou do bolso da calça o celular e, depois de operá-lo por alguns segundos, mostrou a tela ao garçom.

Sentado à frente de Enzo na mesa, bebendo de uma caneca de chope, Thiago viu de relance, antes que o aparelho saísse de seu ângulo de visão, uma foto de Bárbara Lima, em alguma rede social.

— Conheço ela — disse o garçom. — Vem aqui pelo menos umas cinco vezes no mês. Ela e uma amiga.

— Qual? — perguntou Enzo. — Ela tem tantas...

— Uma jovem. Bem vestida. Loura.

— Ah, já sei — Enzo operou o celular de novo e mostrou a tela ao garçom, que disse:

— Essa aí mesmo.

Enzo mostrou a tela a Thiago. Nela, em um *self* à frente da vitrine de uma loja, Eduarda Pinheiro.

Junto à parte interna do muro de trás da mansão Pinheiro, uma doméstica, carregando um saco de lixo fechado, abriu o portão de serviço. Com o sol já baixo, toda aquela parte do jardim estava à sombra. Ela saiu pelo portão, sob o olhar atento de dois cachorros a alguns metros dali.

Os cães tinham cor castanha, focinhos achatados escuros e pelagem curta. Estavam de pé em um canil com paredes de madeira alaranjadas e cercado por uma grade dentro da qual enfiaram os focinhos assim que Enzo e Thiago adentraram o jardim, vindos pela lateral da casa.

No meio do gramado, sentada em um banco de pedra, fumando um cigarro, Eduarda Pinheiro fitava os dois, que vinham pela esquerda dela. Quando eles chegaram à metade do gramado, ela desviou o olhar rumo ao muro traseiro, por onde a doméstica voltava, sem o saco de lixo.

Eduarda só voltou a pôr os olhos em Enzo e Thiago quando eles pararam defronte a ela.

— Devo confessar que fiquei surpresa com sua ligação, investigador — ela disse, cigarro seguro à mão direita por uma piteira. Apoiava o cotovelo sobre o joelho direito, cuja perna mantinha cruzada sobre a outra, as coxas à mostra no *short*. — Podia jurar que em nossa primeira conversa eu havia dito tudo que havia a ser dito.

— Não tudo, madame — disse Enzo.

Eduarda se aprumou no banco.

— Por que presume que eu omiti algo? — perguntou.

— Que tal o caso com a jornalista?

De supetão, Eduarda se ergueu do banco. Cravou os olhos em Enzo e disse:

— Pedirei ao segurança que os acompanhe.

Ela já começava a se afastar quando Enzo disse:

— A jornalista desapareceu.

Eduarda parou e, fitando Enzo:

— Bárbara... desapareceu?

— Isso mesmo, madame.

Eduarda levou a vista ao chão. Com a mão trêmula, tragou o cigarro.

— Por isso — disse — ela não apareceu...

— No encontro? — perguntou Enzo.

Eduarda ergueu a cabeça, os olhos arregalados.

— Ela está em perigo? — perguntou. — Meu Deus, *eu* estou em perigo?

Eduarda jogou o cigarro na grama e levou as mãos às têmporas, que haviam começado a transpirar. Os seios dela arfavam. Os lábios tremiam. As pálpebras tremelicavam. Olhava ao redor, a esmo.

Aproximando-se, Enzo pegou-lhe os pulsos, usando-os para deixar os braços dela caídos ao longo do corpo. Então, segurou-a pelos ombros.

— Acalme-se — disse. — Respire lentamente. Feche os olhos. Imagine um rio de águas correntes. Ele vai levar embora todos os pensamentos e as lembranças ruins.

Ela fechou os olhos.

Por alguns segundos, nada parecia ter acontecido. De olhos fechados, Eduarda se mantinha sob as mãos de Enzo.

Aos poucos, algo aconteceu. A respiração dela desacelerou. Os músculos do rosto se descontraíram. Os ombros, antes erguidos e rígidos, terminaram por cair, relaxados.

Quando, depois de alguns minutos, Eduarda Pinheiro abriu os olhos, Thiago via neles paz e quietude — e uma admiração mal contida pelo que Enzo acabara de lhe proporcionar.

— Madame — disse o investigador —, eu só posso proteger você se me contar tudo.

De modo suave, Eduarda recuou um passo, desvencilhando os ombros das mãos de Enzo.

— O que deseja saber? — perguntou.

— Como a senhora e a jornalista se envolveram?

— Eu queria me ocupar. Sugeri a Heitor que eu auxiliasse Bárbara. Com fotografias, notícias antigas de jornal, essas coisas. Passamos a ficar horas e horas juntas, na biblioteca. Então, aconteceu — e, respondendo a uma pergunta que Enzo não fizera: — Sou bissexual há anos, investigador.

— A senhora sabe quem teria interesse em desaparecer com a jornalista?

— O mesmo criminoso que matou Heitor. Bárbara dispunha de uma prova que ajudaria a polícia a capturar o assassino.

— Que prova? — perguntou Enzo.

— Uma carta.

— De quem?

— Heitor falava tudo pra Bárbara, investigador. *Tudo*. A biografia tinha despertado nele isso. Ele acabou por admitir a ela que tinha uma amante.

— Quem?

— Ele não disse à Bárbara o nome. No entanto, mencionou que tinha em posse dele uma carta dessa mulher.

— Onde ele a guardava? — perguntou Enzo.

— Em uma gaveta da escrivaninha. Bárbara descobriu onde ele escondia a chave e roubou a carta.

— Estava assinada?

— Segundo Bárbara, somente com um apelido: "Aquela que te ama".

— Pra que você queria essa carta?

— Pra me divorciar de Heitor — disse Eduarda. — Assim eu e Bárbara iríamos ficar juntas.

— Quando ela roubou a carta?

— Um dia antes da morte dele.

— A senhora chegou a ter essa carta em mãos?

— Não.

— E não teve interesse em ter?

— Com Heitor morto, ela não me servia de nada.

— E por que vocês voltaram a tratar da carta? — perguntou Enzo.

— Três dias atrás, Bárbara me telefonou. Disse que ia jogar a carta fora, quando decidiu reler o conteúdo. Ela então percebeu que havia ali, nas entrelinhas, uma ameaça à vida de Heitor.

— Que espécie de ameaça?

— Do tipo "se você não puder ser meu, não será de nenhuma outra". Só então eu compreendi por que Heitor guardava uma carta tão comprometedora.

— Ele previa o pior. A carta é datada de quando?

— Cerca de um mês antes da morte dele — disse Eduarda. — Eu decidi ler a carta e, se fosse o caso, ir à polícia. Marquei com Bárbara.

— Quando vocês marcaram o encontro, ela parecia nervosa?

— Nós duas não chegamos a nos falar. É Matilde que agenda meus encontros.

— Mesmo esse tipo? — perguntou Enzo.

— *Especialmente* esse tipo. Matilde é discreta. E apreciou saber que tínhamos uma prova que ajudaria a descobrir o assassino de Heitor.

— A senhora não pensou em dar queixa à polícia quando a jornalista não apareceu?

— Eu jamais li a carta — disse Eduarda. — Não tinha certeza se havia uma ameaça ali. Quanto à Bárbara, eu simplesmente pensei que… ela tivesse encontrado outra amante.

14

Enzo desligou o celular e colocou o aparelho sobre a escrivaninha, onde se espalhavam, empilhadas, notícias impressas sobre o caso Pinheiro. Pôs-se a andar de um lado para o outro, às vezes esbarrando na cadeira de rodinhas.

— Então? — perguntou Thiago, do outro lado da escrivaninha, ao perceber que Enzo, absorto em pensamentos, não tomaria iniciativa de falar.

Enzo parou de supetão, de frente para Thiago.

— A polícia transcreveu todas as ligações de Heitor nos últimos noventa dias antes do assassinato — disse. — Nenhuma delas pra uma amante. Todas, a negócios.

— Surpreende que ele só tenha uma amante, pelo que li sobre ele — disse Thiago. — Talvez ele tivesse um outro celular, só pro caso amoroso.

— A polícia procurou por celulares na mansão, no escritório dele, nas casas de praia e no navio. Não, ele só tinha um aparelho.

— Ele não ligou pra amante uma única vez em três meses? — perguntou Thiago.

— Então a amante só pode ser alguém de dentro da casa. Com quem ele se comunicava em pessoa, por bilhetes ou emissários. Ou dos três modos.

— E quem poderia ser?

— Provavelmente, alguma das domésticas — disse Enzo.

— E como saber qual? Perguntar uma a uma?

— Melhor perguntar pra quem conhece cada uma delas.

Enzo debruçou-se sobre a escrivaninha:

— Lembra do levantamento sociofuncional que encomendei? Que incluía os parentes próximos?

Ele pegou um maço com folhas de papel grampeadas e ergueu-as à altura do queixo:

— Hora de usar...

— Se a patroa sabe que estou aqui...

Enquanto falava, Matilde lançava olhares para a guarita de segurança da mansão, a alguns metros de onde estavam, na estrada de paralelepípedos que levava à residência.

Enzo estacionara o carro à margem da estrada, que se bifurcava, em frente à mansão, em duas vias. Uma levava ao interior da residência. Outra circundava a mansão, passava rente ao muro de trás e, adentrando a mata cerrada, descia rumo à cidade.

Matilde resistira em vir — como resistia, agora, em falar:

— Eu não me meto nos assuntos da família, seu Enzo.

— Dona Matilde...

— Eu careço desse emprego, seu Enzo. Pra acudir meu filho.

— O mais novo? O que está preso?

— Como o senhor sabe disso?

— Dona Matilde, eu posso ajudar seu filho.

Ela meneou a cabeça:

— Eu não quero falar sobre isso.

— Dona Matilde, me deixe ajudar você.

— Meu filho nem devia estar na cadeia, seu Enzo. Ele não sabia da droga.

— Então como ele entrou nessa?

— Seu Caio me disse que precisava de alguém pra dirigir o carro. Pra um grupo de amigos dele que vinham passar o feriado aqui no Rio. Meu filho tava se recuperando das drogas, achei que um trabalho seria bom pra ele.

— Então — disse Enzo — a polícia parou o carro em uma *blitz*. No porta-malas, os policiais encontraram *ecstasy*. Que os amigos de Caio iam usar em uma *rave*. Foi o que saiu nos jornais.

— A polícia prendeu eles tudinho. Sendo que só o meu filho continua na cadeia. Ele, que nem sabia da droga.

— Matilde, os outros respondem ao processo em liberdade porque têm dinheiro pra pagar bons advogados. Veja... — Enzo tirou do bolso da camisa um cartão de negócios, que entregou a Matilde. — É o contato de um advogado criminal. Conhecido meu. Um dos melhores do Rio.

Matilde deu uma vista de olhos pelo cartão, enquanto Enzo prosseguia:

— Ele espera sua ligação. Vai tentar tirar seu filho da cadeia. E trabalhar para que no fim ele receba a menor condenação possível.

— Seu Enzo — ela firmou os olhos nele —, não tenho dinheiro pra um advogado assim.

— Você não tem que pagar nada — Enzo dissera a Thiago que incluiria os honorários do advogado e as custas judiciais nas despesas da investigação, a cargo dos irmãos Pinheiro. — Só preciso que me responda: quem era a amante de Heitor?

A governante arregalou os olhos:

— Como o senhor sabe disso?

— Por favor, dona Matilde, eu preciso desse nome...

Cruzando os braços junto aos seios, sentada no banco de madeira, Suzana virou o corpo para a direita. Dava assim as costas a Enzo e Thiago, ambos de pé, à esquerda dela.

Enzo sentou-se no banco, ao lado dela. Deixou-se ficar ali, calado.

Talvez o amigo aguardasse o momento propício, pensou Thiago, enquanto levava a vista à praça Afonso Pena, onde estavam.

Àquela hora, fim de tarde, os passageiros saíam em profusão da estação do metrô, juntando-se na praça a crianças, vendedores de algodão-doce, adolescentes de patins e *skates* e pipoqueiros com carrinhos. A poucos metros dali, uma mulher de cabelos crespos grisalhos assava churrasquinhos no espeto. Nos quarteirões ao redor, fregueses começavam a encher restaurantes e choperias.

A praça trouxe à memória de Thiago o tempo em que sua mãe o trazia às feirinhas ali. Quando ele se empanturrava com salsichão e farofa e se lambuzava tomando sorvete. Ele gostava que a Tijuca, bairro onde crescera, tivesse mudado tão pouco. Não fossem os tiroteios, talvez jamais tivesse se mudado para o Catete: a Zona Sul lhe dava sensação de falta de espaço, de gente amontoada.

Thiago só voltou à realidade ao perceber que Enzo já conversava com Suzana:

— Sei que é difícil pra você — dizia o investigador. — Mas preciso de sua ajuda.

— Pra quê? — ela ainda se mantinha de costas para eles. — Quem matou aquele monstro fez um bem.

— Suzana — disse Enzo —, o caminho para o bem pode ser tortuoso às vezes. Mas não inclui assassinato.

Ela ficou calada por alguns segundos. Então, virou-se para Enzo. Lacrimejava.

— O senhor me perguntou se eu era amante dele. Não sei se essa é a palavra. Não era bem um relacionamento.

— E o que havia entre vocês, então?

— Quando ele queria fazer... *coisas* comigo... ele vinha até mim.

Com as costas das mãos, Suzana limpou as lágrimas que começavam a lhe escorrer pelo rosto. Então, pondo as mãos sobre as coxas, pôs-se a mirar os próprios pés, calçados em sandálias gregas.

— E além desses momentos? — perguntou Enzo. — Vocês tinham algum outro contato?

— Ele desprezava os criados. Nem me cumprimentava quando me via.

— Por que você aceitou isso?

— No começo, admito, foi porque eu quis. Seu Heitor era tão charmoso... Mas, depois que vi que ele só queria me usar, eu continuei, porque precisava do trabalho. Só que ficou complicado depois que eu...

Lágrimas voltaram a lhe escorrer dos olhos, sem que dessa vez Suzana se preocupasse em limpá-las.

— Depois que você engravidou de Heitor? — perguntou Enzo.

— Não. Depois que eu arranjei namorado e disse pro seu Heitor que não ia mais continuar aquilo. Ele ameaçou me demitir. Aí veio a gravidez, e pra se livrar dela, ele me forçou ao pior pecado que uma mulher pode cometer.

Encobrindo o rosto com as mãos, ela começou a chorar. Enzo recostou-se junto ao espaldar do banco e, as mãos sobre os joelhos, o olhar em algum ponto da praça, esperou.

O investigador só voltou a pôr os olhos em Suzana quando, depois de alguns minutos, ela parou de chorar.

— Seu namorado — perguntou Enzo — chegou a saber da gravidez? Ela o fitou:

— Ele suspeitou. Depois que entrei em depressão. Aí tive que contar.

— Quem é seu namorado?

Ela se empertigou no banco. Franziu o cenho:

— Por que o senhor quer saber? Ele não tem nada com isso.

— Tudo bem. Não precisa me dizer.

— Enzo, faz três horas que a gente está aqui.

Escurecera há duas horas, mas as lâmpadas dos postes continuavam apagadas. A penumbra só era suavizada pela iluminação tênue dos postes da praça Afonso Pena, a alguns quarteirões dali. Enquanto Thiago e Enzo conversavam debaixo de um ipê, um ou outro carro trafegava pela rua, em alta velocidade, as luzes dos faróis fulgindo em um relance, para desaparecerem em seguida. Da sarjeta, na rua, subia o fedor de uma ratazana morta. Ao longe, latidos de cachorro.

— Vamos ficar mais três horas, se preciso — disse Enzo, enquanto digitava algo no celular.

— O que você tecla tanto?

— Graças ao perfil falso, fui chamado pra um grupo privado.

— E o que descobriu?

— Há alguns meses a rede de supermercados da família Pinheiro ficou perto de falir. Vou tentar saber detalhes.

— Bom que esse lado da investigação vá bem. Porque este — apontou para o portão de madeira de uma casa, à esquerda deles, no meio do quarteirão — não está levando a lugar nenhum.

Enzo parou de digitar e guardou o celular no bolso:

— Vai levar.

— Ainda não entendo por que seguimos Suzana até a casa dela.

— Pra descobrirmos quem é o namorado dela.

— Por que você acha que ele vai aparecer? — perguntou Thiago.

— Depois de nossa conversa, ela deve ter ligado pra ele.

— E se ele estiver doente? Ou tiver um trabalho noturno? Ou--

— Veja — com o dedo indicador, Enzo apontou para algo no asfalto. Thiago virou-se para trás. Em meio à escuridão, divisou alguém que começava a atravessar a rua. Em segundos o vulto chegou à calçada onde estavam, perto o suficiente para que Thiago, apurando a vista, o reconhecesse: Walter Martins, o segurança da mansão.

Assim que chegou à calçada, Walter caminhou para o lado esquerdo. Parou em frente ao portão da casa. Tocou a campainha.

Depois de alguns segundos, Suzana, maquiada, usando colar de bijuteria prateada e vestido preto tomara-que-caia, abriu o portão.

Três horas depois, o casal voltava.

Para Thiago, parecera bem mais que isso. Desde que seu celular descarregara, há uma hora, ele se deixara ficar recostado junto ao tronco do ipê.

Enzo se calara há tempos. Algumas vezes, digitava algo no celular. Em outras, passava os olhos pela rua escura, à espera do retorno do casal. Ou, mão direita sob o queixo, perdia-se em pensamentos que não compartilhava.

Assim que avistou o casal, em frente ao portão, Enzo guardou o celular no bolso.

Após um beijo de despedida, Suzana fechou o portão.

Walter caminhou pela calçada na direção de Enzo e Thiago — ocultos sob a sombra do ipê.

A poucos metros dos dois, o segurança virou à direita. Já pisara no asfalto quando Enzo o chamou pelo nome.

Walter parou. Virou-se na direção dos dois.

Enzo e Thiago saíram de onde estavam e se aproximaram, parando defronte a ele.

— Vocês estão me seguindo? — ele perguntou. Lançou os olhos sobre a casa de Suzana e, então, sobre Enzo. — Vocês estão seguindo *ela*?

Walter aprumou o corpo. Sua musculatura, já intimidadora nos trajes de segurança, era-o ainda mais sob a camiseta de mangas curtas e a calça *jeans* apertada que usava naquele momento.

— Foi o único modo — disse Enzo — de conhecermos o namorado dela. Que tinha um motivo pessoal pra querer Heitor Pinheiro morto.

— Ninguém fala assim comigo, doutor.

— Walter, ninguém o culparia de desejar o pior a Heitor.

Em silêncio, o segurança alternou os olhos, por alguns segundos, entre Enzo e Thiago. Até dizer, detendo o olhar no investigador:

— Eu não liquidei o velho. Só que, sim, eu quis fazer mal a ele.

— O que você fez?

— Eu contei a ele que ia pra imprensa. Ia denunciar o que ele obrigou Suzana a fazer com o bebê.

— E como Heitor reagiu à ameaça? — perguntou Enzo.

— De primeira fez jogo duro. Só que me chamou alguns dias depois. Me deu grana alta pra eu ficar calado.

— E você… aceitou?

— Doutor pensa que a vida é fácil pra quem está aqui embaixo?

— E agora? — perguntou Thiago, sentando-se no banco de passageiros do carro.

Com as mãos sobre o volante, Enzo virou-se para ele.

— Depois de algumas conversas privadas — disse — descobri que um grupo estrangeiro se ofereceu pra uma fusão com a rede de supermercados. O conselho de administração estava dividido. Alguns fechavam com Victor Pinheiro, a favor. Outros com Heitor, contra.

— E quem venceu?

— Um mês após a morte de Heitor, a fusão foi viabilizada. Com empenho pessoal de Victor.

Enzo se virou para o painel de instrumentos e deu partida no carro.

— Então — perguntou Thiago —, vamos ver Victor agora?

— Amanhã. Hoje vamos terminar o dia conversando com outra pessoa.

15

O delegado Magalhães comeu um pedaço do filé à Osvaldo Aranha à sua frente. Pondo o garfo e a faca sobre a borda do prato, em lados opostos, bebeu um gole de chope com colarinho. Colocando a tulipa sobre a mesa, mordiscou os lábios, limpando-os da espuma. Então disse:

— Você não tem nada, Rocha.

— O segurança, a doméstica, a viúva... — disse Enzo. — Todos têm um motivo.

Sentado à frente do delegado, Enzo tinhas as mãos sobre a toalha alaranjada. Nas mesas ao redor, homens e mulheres em trajes casuais. No ar, cheiro de carne, alho e cebola. No teto, o roçar das pás dos ventiladores fazia um barulho contínuo.

— E tem uma pessoa desaparecida — continuou Enzo. — Mesmo com Valentina presa.

— A jornalista? Nós achamos o corpo. Agora, no fim da tarde.

— E quando você ia me contar isso?

— Não estou dizendo agora, cacete? O cadáver foi encontrado em um matagal do subúrbio. Pelo estrago na pele e nos olhos, o legista acredita em envenenamento.

— Envenenamento? — Enzo debruçou-se sobre a mesa, por cuja toalha se espalhavam farelos de arroz e alho que Magalhães deixava cair a cada garfada. — Você tem certeza?

— A jornalista tinha uma lesão punctória no braço. Alguém injetou algo nela.

— E o celular dela?

— Extraviado.

Magalhães afrouxou o nó da gravata. Só então pareceu prestar atenção em Thiago, sentado à direita de Enzo.

— Você tem um assistente agora? — perguntou, com um sorriso. Examinou Thiago por alguns segundos, antes de voltar os olhos de novo para Enzo.

— Magalhães — disse o investigador — você não pode fechar o inquérito concluindo que Valentina é culpada. Os indícios--

— Que "indícios"?

— Que tal a morte da jornalista? Não foi pra isso que você pediu um exame necroscópico em tempo recorde? Pra incluir a morte no inquérito?

— Eu ameacei, sim, arrancar as bolas do legista caso ele não corresse com o exame. Só que eu fiz isso pra ter certeza de que *não* devo incluir a morte no inquérito.

— São duas mortes conectadas, Magalhães.

— Arma branca e envenenamento? São criminosos diferentes, Rocha. E o que o assassino ganharia com a morte da jornalista?

— A jornalista tinha uma carta que talvez expusesse o criminoso... ou "criminosa", se Heitor tiver sido morto por uma amante.

— Escute você próprio, Rocha. "Talvez". "Se". Pra que me serve isso?

— Magalhães, o inquérito é insuficiente.

— Insuficiente? — Magalhães avançou com o dorso sobre a mesa. De punho direito cerrado, pressionou a ponta do indicador sobre a toalha. — Olha, Rocha, eu vou terminar esse inquérito depois de amanhã. Com a Valentina indiciada. Se quer que eu mude isso, me traz coisa concreta.

Enzo aproximou o rosto ao de Magalhães:

— Acho que você não mudaria o inquérito nem se eu trouxesse uma confissão escrita do assassino.

Erguendo o punho direito cerrado, Magalhães apontou o indicador em riste para Enzo.

— Não brinque comigo, Rocha...

— Eu nunca brinco quando alguém está preso sem merecer.

— Posso proibir sua investigação agora mesmo.

— Isso não me impediria — disse Enzo.

— Aí eu te prendo por obstrução.

Enzo manteve os olhos cravados nos de Magalhães por alguns segundos. Então, recuando sobre a mesa, retesou-se na cadeira.

— Seria coerente com você, Magalhães. Sempre prendendo a pessoa errada.

O delegado desferiu o punho cerrado sobre a mesa. Com tanta força que a tulipa caiu, derramando chope sobre a toalha. Os fregueses das mesas mais próximas pararam de conversar para observar o que ocorria.

— Você está fora do caso, Rocha — o indicador em riste de Magalhães, apontado para Enzo, tremia. Seus músculos faciais se contraíam. Seu rosto se avermelhara, e a jugular se dilatara sob a pele do pescoço. — Ouviu bem? Fora!

— Veremos — disse Enzo, erguendo-se.

Sem olhar para trás, Enzo andou rumo à porta, seguido por Thiago. Ambos acompanhados, até o momento em que cruzaram a porta, pelo olhar de Magalhães.

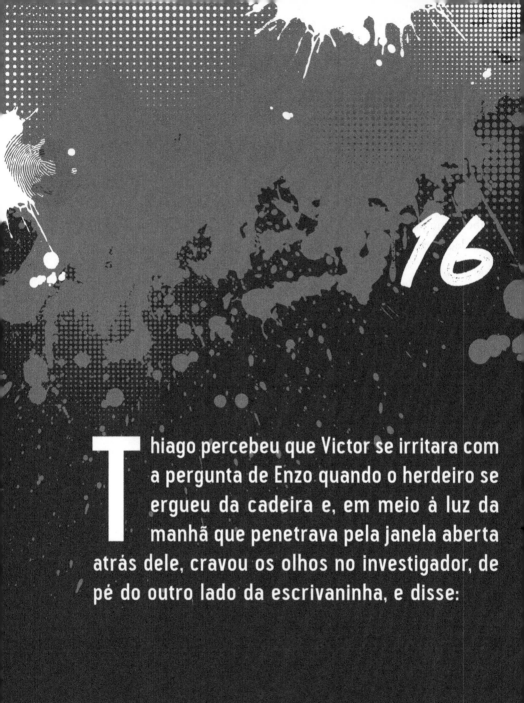

16

Thiago percebeu que Victor se irritara com a pergunta de Enzo quando o herdeiro se ergueu da cadeira e, em meio à luz da manhã que penetrava pela janela aberta atrás dele, cravou os olhos no investigador, de pé do outro lado da escrivaninha, e disse:

— Você me acusa de matar meu pai? Quem você pensa que é?

— Só fiz uma pergunta: você e seu pai tinham divergências?

Victor tirou um lenço vermelho da lapela do paletó preto risca de giz; desdobrando-o, usou-o para remover uma gota de suor da testa, que avermelhara tão logo ele ouvira a pergunta de Enzo pela primeira vez.

— Contratamos você — disse, enquanto dobrava o lenço, colocando-o de novo na lapela — pra tirar nossa mãe da cadeia. Faça isso, em vez de fuçar assuntos de família.

— Às vezes, a linha entre um assassino e os segredos de uma família é frágil.

— Por que eu mataria meu pai?

— Você e ele não divergiam nos negócios?

— Seja mais específico.

— A rede chegou perto de falir--

— Como você--?

— A única saída era a fusão com o grupo chinês. Seu pai foi contra. Mal o cadáver dele foi enterrado, você viabilizou o negócio.

Victor circundou a mesa, sentando-se sobre a parte da borda mais próxima de Enzo e Thiago. À esquerda dele, a um canto da sala, o pastor-alemão, sentado, língua de fora, parecia ouvir a conversa.

— Eu salvei a empresa, Enzo. Ou você acha que só meu pai tinha dom pros negócios?

— O comércio estava na massa do sangue dele, até onde sei.

— Meu pai foi um gênio dos negócios. Só que em algum momento ele perdeu a mão. Passou a viver no passado. Não aceitava o modo como o mercado funciona hoje em dia, com fusões, absorções...

— Seu pai construiu o negócio inteiro do nada. E você deu o comando a estrangeiros?

— Não fale do que não sabe, Enzo.

— E o que eu não sei?

— Cada mês ficava mais difícil escoar o estoque. A receita caía ano a ano. E então os chineses apareceram. Ofereceram *know-how* e capital, em troca do nosso *market share*.

— Seu pai não acreditava que fosse uma boa ideia.

— Porque os chineses condicionaram a compra ao enxugamento — disse Victor. — Teríamos que demitir 40% dos empregados. Meu pai era agressivo nos negócios, mas ao mesmo tempo achava que devia haver uma moral neles.

— Victor, você sabe de alguém que quisesse seu pai morto? Que o tivesse ameaçado?

— Não sei de nada.

— Qualquer coisa, Victor. Qualquer coisa que você lembre pode ajudar.

Victor enfiou as mãos nos bolsos da calça social preta risca de giz. Pareceu pensar por alguns segundos enquanto, queixo caído, gravata vermelha pendendo do colarinho da camisa social branca, mirava os sapatos pretos de couro.

Então, ergueu a cabeça por um momento. Entreabriu a boca, como se fosse falar algo.

De súbito, levantou-se da mesa e, circundando-a, voltou ao lugar onde ficava sua cadeira. Mantendo-se de pé, fitou Enzo e Thiago enquanto tirava o telefone do gancho com a mão esquerda.

— Fechem a porta quando saírem — disse, o aparelho seguro à altura do estômago e a mão direita na iminência de discar algum número. — Tenho outros assuntos.

Enzo deu um passo à frente. Debruçou-se sobre a mesa, apoiando-se nela com as pontas dos dedos enquanto o executivo discava.

— Victor, qualquer um que saiba algo está em perigo.

— Tenho uma das melhores equipes de segurança do país — Victor parara de discar e, olhos em Enzo, parecia esperar que alguém atendesse.

— A mesma que seu pai tinha…

Pela primeira vez desde o início da conversa, Thiago percebeu no herdeiro alguma insegurança. Os olhos se arregalaram de leve e ele mordeu os lábios.

Pondo o telefone de volta ao gancho, Victor olhou fito para Enzo:

— Foi algo que lembrei. Talvez nem seja importante.

— Só me diga o que é.

— Mais ou menos um mês antes do assassinato, meu pai disse que tinha dado à Matilde o aviso prévio. Ele descobriu que ela vendia drogas.

— E ela o ameaçou de alguma maneira?

— Matilde teria dito que ele iria se arrepender.

— O patrão nem chegou a me dar o aviso, seu Enzo.

De pé, junto ao muro da mansão, Matilde entrelaçou as mãos à frente do corpo. Pôs-se a girar os polegares um contra o outro.

— A senhora o ameaçou? — perguntou Enzo, ao lado de Thiago, ambos à frente dela.

Estavam em um descampado, na lateral da mansão, às margens da estrada de paralelepípedos. Enzo estacionara o carro a alguns metros dali, sob a sombra de uma das poucas árvores.

Thiago transpirava nas costas e nas axilas, devido ao calor. Na mata próxima, o toque-toque das bicadas de um pica-pau em algum tronco. No céu, o ronco de um avião em subida. No solo, o rastejar de algum réptil. Faltavam duas horas para o meio-dia.

— Eu não quis dizer que ia matar o patrão, seu Enzo. Eu só ia na imprensa.

— Pra falar o quê?

— Tudo que fiquei sabendo. Nesse tempo todo em que trabalhei pra ele.

— E o que você soube? — perguntou Enzo.

— Muita coisa das transações dele.

— Ele tratava de negócios com você?

Matilde demorou alguns segundos para responder:

— Ele confiava em mim.

Ela desvencilhou as mãos e deslizou-as, abertas e suadas, de cima a baixo, sobre o avental.

— Dona Matilde — perguntou o investigador —, a senhora vende drogas?

O tom de voz de Enzo parecia trazer uma reprovação. Isso surpreendeu Thiago. Até então, o amigo parecia transitar por aquele mundo e aquelas pessoas sem parecer julgá-las.

— Quem disse isso pro senhor? — perguntou Matilde.

— É verdade?

— O senhor tem que entender que eu--

— Eu não estou aqui pra julgar a senhora. Meu único interesse é descobrir o assassino.

Matilde estendeu as mãos à frente do busto, as palmas viradas para Enzo:

— Eu precisava de dinheiro. Pra contratar um advogado e tirar meu filho da cadeia.

— Como você teve contato com drogas?

— Numa visita que fiz a meu filho. Ele disse que seu Caio precisava de ajuda pra vender.

— Caio continuava a vender *ecstasy*? — perguntou Enzo.

— Um dia eu ouvi ele dizer no telefone que tinha que vender tudo. Ou ia ter problema.

— Como funcionava a venda?

— Seu Caio fazia todos os contatos — disse Matilde. — Eu punha os saquinhos com comprimidos em caixas lacradas e entregava pra quem mora aqui perto. Outras pessoas entregavam pra mais longe.

— Como Heitor descobriu?

— Por alguém na polícia.

— E por que Heitor voltou atrás em demitir você? — perguntou Enzo. — Medo da imprensa?

— Ele aceitou meus motivos. Seu Heitor tinha muitos defeitos, mas entendia o que uma mãe sente pelo filho.

— Não transo com esse bagulho não, velho.

Vestido em camiseta regata e bermuda esporte, suado, segurando uma garrafa de isotônico, Caio Pinheiro recuou um passo, afastando-se de Enzo e Thiago. Ao fazê-lo, esbarrou a perna esquerda em um tonel preto, quase derrubando de cima dele uma luminária cor creme.

— Caio, esse lado de sua vida só me interessa — disse Enzo — por causa de uma possível ligação com o assassinato.

— Que ligação?

— Meu palpite é que os traficantes de quem você compra o *ecstasy* nunca receberam o pagamento dos últimos lotes. Afinal, a prisão obrigou você a parar a operação. A morte de seu pai era a maneira mais rápida de conseguir o dinheiro, pela herança.

— Mamãe ainda tá presa — disse Caio. — Fui visitar ela ontem. Ela tá mal. É com isso que você devia se preocupar, velho.

Dando as costas aos dois, Caio atravessou a sala.

O cômodo se constituía de uma mesa de refeições com duas cadeiras vazadas. As paredes eram de tijolos brancos aparentes, descascados; alguns se sobressaíam, criando uma alternância de altos e baixos relevos. No pé-direito, tubulações hidráulicas expostas.

Cruzando uma linha divisória onde o assoalho de madeira dava lugar a um piso de ladrilho hidráulico, Caio adentrou a cozinha. Logo na entrada, havia uma cristaleira de metal preta, por cuja vitrine se viam copos, louças e, nas prateleiras mais abaixo, garrafas de uísque. Cheiro de espaguete emanava de uma panela tampada sobre a boca acesa de um fogão.

A cozinha se conectava à sala por meio de uma bancada de granizo, por detrás da qual Caio se posicionou.

— Os traficantes ameaçaram você? — perguntou Enzo. — Ou seu pai? Caio sorriu:

— Meu pai nunca ia se entrosar com esse tipo de gente.

— Os traficantes se entrosariam com ele — disse Enzo —, se fosse a única maneira de serem pagos.

Caio apontou com o dedo indicador direito para a porta:

— É melhor vocês vazarem.

— Caio — disse Enzo —, se você não tem nada a ver com o crime, então me ajude a encontrar quem tem. Por seu pai. E por sua mãe.

Durante alguns segundos, o jovem Pinheiro alternou o olhar entre Thiago e Enzo, demorando-se mais no último. Então, saiu da cozinha e atravessou a sala, até a varanda.

Thiago olhou para Enzo, à procura de alguma orientação. O investigador lhe indicou, com um gesto de mão, que deveriam esperar.

Caio deixou-se ficar na varanda, de costas para Enzo e Thiago, as mãos sobre a amurada de vidro. À frente dele, o bairro do Leblon. Prédios em cor branca. Copas de árvores. Apinhada de carros, a ponte que liga o bairro a Ipanema. Adiante, no mar, sulcos de espuma entremeados por cintilações da luz do sol a pino. Ao longe, no horizonte, o morro Dois Irmãos.

Em alguns segundos o rapaz voltava à sala, parando novamente defronte a Enzo e Thiago.

— Prefiro transar com bagulho do que ter um trabalhinho chato — disse. — A vida é pra ser curtida.

— E a vida dos que usam a droga? — perguntou Thiago. Como plantonista, ele atendera a inúmeros pacientes sob *overdose* ou com danos nos órgãos decorrentes de uso de drogas. Não tinha simpatia por quem tentasse minimizar os malefícios delas.

— Sabe quantas pessoas usam *ecstasy* todo dia? — perguntou Caio. — Quantas morrem?

— Eu sei que *ecstasy* dificilmente mata — disse Thiago. — Mas isso não a torna uma droga inofensiva.

— Cada um vive a vida como quer. E assume o risco.

— Pros traficantes se preocuparem assim com seu estoque — disse Enzo — ele devia ser grande. Maior do que o de um traficante das baladinhas da Zona Sul.

— O cara das baladas compra de mim. Droga pura. Do tipo que não se encontra mais. Deixa com onda em quinze minutos.

— Como o advogado da família conseguiu livrar você da acusação de tráfico? — perguntou Enzo.

— No começo ele tentou limpar minha barra de qualquer acusação.

— Com base em quê?

— *Ecstasy* não aparece em exame depois de umas horas. E não apareceu nos meus.

— E os sintomas externos? — perguntou Enzo.

— Depois da onda a gente toma calmante, velho.

Ante o olhar de dúvida de Enzo, Thiago esclareceu:

— Alguns sedativos diminuem os efeitos das drogas.

— Alguma em especial?

— Os usuários de *ecstasy* — disse Thiago — usam muito a benzodiazepina.

Enzo voltou a atenção para Caio:

— O advogado não conseguiu fazer desaparecer a droga apreendida.

— Foi aí que me ferrei — disse Caio. — Acabei acusado como usuário.

— Como Heitor descobriu? — perguntou Enzo.

— Ele molhou a mão de uns policiais. Pra que os caras ficassem de olho em mim. E cantassem o fio caso eu voltasse a vender.

— E por que traficar de novo, tão cedo após a prisão?

— Eu ia ficar na moita por um tempo — disse Caio. — Só que uma noite um cara me abordou lá no barco. Disse que uns amigos dele esperavam por uma grana.

— Ameaçaram seu pai também?

— Num coquetel, um engravatado puxou papo com ele. Disse que uns homens de negócios na Europa espalhavam que o filho dele não pagava o que devia.

— E o que houve com a dívida? — perguntou Enzo.

— Eu dei meu jeito.

— Com o dinheiro da herança?

— Olha, eu já te ajudei.

— Só diga como você pagou, Caio.

O jovem Pinheiro foi até a porta e abriu-a:

— Está na hora de vocês vazarem.

17

Com suor escorrendo pela testa, Thiago tomou um gole de água no gargalo da garrafinha de plástico, à mão direita. À frente dele, Enzo digitava no celular.

Estavam há trinta minutos naquela boate, na Urca. Thiago não entendia por que o investigador os levara até ali. Ele imaginava que tivesse algo a ver com a atenção que o amigo dedicava ao celular — esquecido até do ambiente em torno, onde, à esquerda de Thiago, rapazes em calça *jeans* e blusas justas, e moças em vestidos tomara-que-caia, dançavam em uma pista, ao som de música eletrônica bate-estaca. No ar, em movimento, raios *laser* brancos e azuis. Em alguns cantos, à meia-luz, mesinhas com sofás de cor preta, ocupadas por casais ou grupos de amigos. À direita de Thiago, um balcão de madeira, atrás do qual um *barman* preparava drinques.

Thiago pressentiu que teria respostas quando Enzo tirou os olhos do celular e lhe disse, em voz alta devido à música:

— Feito.

— O quê?

Segurando o aparelho na vertical, entre os dedos, Enzo mostrou a tela ao amigo.

Estava aberta em um aplicativo de paquera.

Thiago pôs os olhos arregalados sobre Enzo:

— Foi pra isso que você veio pra cá? Pra se dar bem?

— Veja melhor.

Aproximando o rosto do celular, Thiago viu que o aplicativo estava aberto em uma janela de conversa. Nela, mensagens de Enzo e de alguém que se identificava como Rubião. Thiago só precisou ler três mensagens para entender o que ocorria. Cravou os olhos em Enzo:

— Você marcou uma compra de drogas?

Enzo guardou o celular no bolso:

— De *ecstasy*, pra ser mais preciso.

— Num aplicativo de paquera?

— É assim que funciona hoje em dia. O usuário entra numa boate, liga o aplicativo e configura pra menor distância possível. Cedo ou tarde, aparece um traficante.

Thiago olhou ao redor:

— Então o cara está aqui?

— Está do lado de fora. A transação não vai ser aqui.

— Enzo, nós podemos ser presos...

— Eu preciso de um nome, Thiago. Qualquer nome que me ajude a saber com que dinheiro Caio pagou a dívida. Vamos?

Dando meia-volta, Enzo começou a caminhar rumo à saída.

Após alguns passos, percebendo que Thiago não o acompanhava, ele parou, virando-se na direção do amigo.

Por um momento ambos se fitaram, em silêncio.

Thiago sabia a decisão racional a tomar: manter-se ali e tentar demover Enzo da ideia.

Sabia disso — mas, impelido por força que não compreendia, juntou-se ao investigador.

Enzo fechou a porta assim que o homem chamado Rubião, de cabelos compridos louros, calça brim azul e camiseta branca, adentrou o quarto de hotel em que estavam.

O homem mal tinha dado três passos quando parou, ao deparar-se com Thiago, sentado no estofado de couro de um sofá de madeira, no centro do quarto. Virando-se sobre o chão em carpete, ele fitou Enzo, com uma pergunta silenciosa a que o investigador respondeu de imediato:

— Ele está comigo.

Enzo se aproximou, parando de pé ao lado do visitante. Às costas do investigador, à direita, um minibar, com copos de cristal no balcão; à esquerda, a entrada de um quarto de dormir; à frente, um terraço com piscina.

Por alguns segundos, Rubião percorreu o quarto com os olhos, até finalmente pregá-los em Enzo:

— Você está em um hotel. Mas tem sotaque carioca.

— Eu moro em São Paulo faz um ano — Enzo tossiu, o punho direito cerrado à frente da boca. Então, tirou a carteira do bolso de trás da calça *jeans*. — Você trouxe...?

Enquanto o investigador tirava o dinheiro da carteira, Rubião tirou do bolso dianteiro esquerdo da calça um saquinho de plástico transparente; dentro, dezenas de comprimidos de cor azul.

Ele entregou o saquinho para Enzo, que no ato lhe repassou o dinheiro.

Enquanto acompanhava a transação, Thiago tentava aparentar tranquilidade. Durante seu período de residência, ele conhecera alguns viciados. Eles lhe haviam contado como ocorria uma compra de drogas. Na transação que Enzo fazia ali, Thiago temia por um momento em particular, para o qual não tivera chance de alertar o amigo.

Guardando a carteira, Enzo contemplou os comprimidos no saquinho, à mão direita. Tossiu de novo, desta vez o punho esquerdo à frente da boca.

Por que Enzo tosse assim?, pensou Thiago.

Guardando o saquinho no bolso dianteiro direito da calça, Enzo perguntou ao traficante:

— É puro?

Rubião meneou a cabeça:

— Puro é barra pra achar, irmão.

— Eu soube de alguém aqui no Rio que vende.

— Sério? — o traficante voltou a percorrer Enzo com os olhos. — Quem?

— Caio Pinheiro.

À menção do nome, Rubião empalideceu:

— Não conheço.

— Se conseguir um encontro meu com ele, te pago dez vezes o que acabei de dar.

— Não conheço ele. Olha, irmão, eu tenho que ir.

Enzo esperou por alguns segundos. Como o traficante nada falasse, deu de ombros e apontou com a mão esquerda aberta para a porta:

— Como queira.

Rubião permaneceu parado. Fitava Enzo, que perguntou:

— Algum problema?

O traficante apontou com o indicador direito para o bolso onde Enzo guardara o pacote:

— Você não vai provar?

O rosto de Thiago crispou-se. Era o momento que temia.

Será, pensou, *que Enzo se preparou pra isso?*

Ele teve certeza que "sim" quando o investigador, sem hesitar, respondeu:

— Estou saindo de uma virose.

Rubião permaneceu imóvel.

— Algum problema? — perguntou Enzo.

O traficante apontou com a cabeça para Thiago:

— E ele?

Thiago se remexeu no sofá, enquanto Enzo dizia:

— Ele não usa.

— Então — disse Rubião, a voz um pouco mais alta —, o que ele faz aqui?

Enzo apontou o indicador em riste para a porta:

— Você recebeu o dinheiro, e eu o produto. É hora de você ir.

— O comprador sempre prova — disse Rubião, alternando o olhar entre Enzo e Thiago. — Quem são vocês?

Enzo ergueu as mãos espalmadas à frente do traficante, que recuou um passo.

— Olhe — disse o investigador —, nós só queremos uma ajuda. Só isso.

Com a mão direita, Rubião tirou do bolso da calça um canivete. Apertando um botão com o polegar, liberou a lâmina. Suor escorria por sua testa enquanto ele mantinha a arma à sua frente, aprumada.

Enzo recuou um passo, as mãos ainda estendidas à frente, mas agora próximas a seu peito, em posição de defesa. Thiago ergueu-se do sofá e permaneceu assim, de pé, paralisado perante uma situação na qual não sabia como agir.

— Isso não é necessário — disse Enzo. — Nós só queremos conversar.

O traficante inclinou a lâmina para frente. Sua mão tremia. Sem tirar os olhos de Enzo, ele começou a caminhar, de lado, passo a passo, rumo à porta, à direita dele.

Enzo e Thiago se limitaram a observá-lo enquanto ele chegava à porta.

Quando Rubião se virou, pegando na maçaneta com a mão livre, Enzo correu até a varanda, levando consigo, agarrado pelo braço esquerdo, Thiago. O médico se deixou conduzir, sem entender direito o que ocorria.

Assim que chegaram junto à amurada do terraço, ao lado da piscina, ambos se viraram para o quarto — justo quando o traficante, agora de costas para a porta, gritava para eles:

— Como eu abro essa porta?

Só então Thiago reparou na fechadura: não havia buraco para chave ou entrada para cartão magnético; apenas, sobre a maçaneta, um teclado com números.

Com a mão esquerda, Enzo tirou do bolso um cartão magnético, que segurou à frente do rosto.

— Só abre — disse — se você aproximar isso da porta.

Rubião caminhou rumo a eles, a passos largos, canivete à frente. Em alguns segundos atravessou o quarto. Já adentrava a varanda quando Enzo, virando-se de lado, estendeu o braço esquerdo para além da amurada — o cartão assim suspenso no ar, prestes a cair cinco andares abaixo.

— Um passo a mais — disse Enzo — e você terá que descer daqui fazendo escalada.

O traficante parou, à entrada do terraço:

— Isso não me atrapalha de furar vocês.

— Impede você de fugir depois disso — disse Enzo. — Quantos anos um homicida pega?

— Eu posso derrubar essa porta, irmão.

— Tem alarme nela. Tente forçar e a equipe de segurança aparece em dois minutos. Por que acha que marquei aqui?

Por alguns segundos, Rubião ficou calado. Até que, olhos em Enzo, baixou o canivete e disse:

— Olha, eu não quero problema, irmão.

— Eu só preciso encontrar alguém que distribua pra Caio Pinheiro — disse Enzo. — Qualquer um.

O traficante demorou alguns segundos, até responder:

— Tem um cara. Em Copa.

— Marque com ele.

— Enzo, isso é loucura.

Thiago gesticulava enquanto conversava com o amigo. Ambos a caminharem na calçada da avenida Figueiredo de Magalhães, em Copacabana. O investigador não parecia ouvir, enquanto acionava com a chave o alarme do carro, que haviam acabado de deixar para trás.

— Nós temos que chamar a polícia — disse Thiago.

— Esqueceu que estou na lista negra do Magalhães? — Enzo caminhava olhando à frente, desviando-se dos transeuntes em sentido contrário. Na ciclovia ao lado, ciclistas em várias velocidades. Na calçada, bueiros alternavam-se com postes de iluminação e telefones públicos.

— Enzo, você não ouviu o que o cara no hotel disse sobre esse tal de Brutus? Ele já cumpriu pena por homicídio. É lutador, conhecido por quebrar os oponentes.

— Eu não vou lutar com ele — sem parar, Enzo tirou do bolso direito da calça um aparelho preto, do tamanho da palma da mão. Tinha formato retangular e, na superfície, alguns detalhes em baixo-relevo. — Vou instalar este rastreador no carro dele. Isso vai me dar a localização do veículo em tempo real.

— E se ele não vier de carro?

Enzo guardou o rastreador no bolso:

— Rubião disse que ele entrega na Zona Sul, Barra e no Recreio. É provável que tenha carro.

— Pra que se arriscar, afinal? É só um trabalho.

Enzo parou. Virou-se para Thiago, que também parara.

— Não é só um trabalho, Thiago — disse. — Nunca foi. Só agora eu percebo isso.

Quando retomaram a caminhada, Thiago pensou em responder. Mas não conseguiu pensar em nada. Talvez porque, no íntimo, concordasse com Enzo...

Sozinho, mão esquerda sobre um corrimão, Enzo subiu, a passos lentos, uma escadinha de cimento.

A escadinha levava a uma travessa, sob um túnel, à altura do térreo de um edifício, à direita do investigador.

O túnel se isolava do prédio por uma parede de cor branca, rabiscada com grafite em cores fortes.

Enzo adentrou o túnel e avançou.

Enquanto caminhava, os passos dele ecoavam, as solas dos tênis de encontro ao chão empoeirado. Moscas revoavam ao redor de sua cabeça. Fedor de lixo. No teto, luminárias vacilantes. No chão, baratas corriam entre poças de urina.

Enzo tentava ignorar o formigamento nas mãos. Ele não podia perder o controle — não ali, prestes a se encontrar com Brutus. Qualquer coisa que despertasse a desconfiança do traficante poderia levá-lo à morte. Para se acalmar, Enzo cerrou e descerrou os punhos algumas vezes.

Atrás dele, pouco antes do início da travessa, escondido detrás de uma árvore na calçada, ficara Thiago. Haviam combinado que o amigo ligaria para a polícia em caso de problema.

Assim que saiu do túnel, Enzo parou sobre a calçada. Deixou-se ficar ali, à espera, conforme o traficante do hotel combinara com Brutus.

Enquanto esperava, passou em revista o lugar. À esquerda e direita, prédios — àquela hora, com as luzes apagadas. À frente, a rua Santa Clara. Logo após, uma praça circular, cujo calçamento dava lugar, no centro, a solo de terra, onde havia um parque arrodeado por árvores, arbustos e bancos de metal. Ao redor da praça, postes de luzes mal iluminavam as imediações — o lugar entregue, assim, à escuridão.

Escuridão em meio à qual Enzo avistou um carro a estacionar, na parte da praça mais afastada da rua.

Em alguns minutos, um vulto se aproximava, chegando ao meio-fio da calçada oposta à do investigador.

Sem hesitar, o vulto começou a atravessar a rua. À medida que se aproximava, Enzo pôde perceber que correspondia ao homem que o traficante no hotel lhe descrevera.

Brutus usava cabelos raspados, que deixavam à mostra um rosto marcado por cicatrizes. Uma tatuagem descia de sua têmpora esquerda, rente à orelha deformada, até o pescoço, sumindo por dentro da gola da blusa preta — para reaparecer nos braços, dotados de músculos cujas veias pareciam prestes a sair da pele. No pulso direito, uma pulseira de prata. Nos dedos das mãos, vários anéis. Vestia calça cargo marrom e calçava botas de cano curto.

Quando Brutus subiu à calçada, parando defronte a ele, Enzo não pôde deixar de lhe reparar o tamanho: os ombros do traficante ficaram à altura dos olhos do investigador.

Sem dizer uma palavra, o traficante tirou de um bolso na panturrilha direita um saquinho de plástico transparente, com comprimidos de *ecstasy*. Entregou-o a Enzo.

Após guardar o saquinho no bolso esquerdo, o investigador pegou a carteira, de onde tirou várias cédulas. Entregou-as a Brutus.

Sem tirar os olhos de Enzo, o traficante guardou o dinheiro em um dos bolsos da calça.

Durante alguns segundos, ambos se fitaram, sem palavras.

Então, o traficante deu um passo à frente. Enzo, devido à diferença de altura, teve que erguer um pouco o rosto para manter a conversa.

— 'Cê não vai provar? — perguntou Brutus.

Enzo tentou manter a calma. Depois do que ocorrera no hotel, ele pensara em outra desculpa. Tentou ocultar o tremor súbito nas mãos ao dizer:

— São pra minha namorada, chapa. Ela que curte esses lances.

Por alguns segundos, Brutus firmou os olhos sobre Enzo.

Até que se recuou um passo e, dando meia-volta, caminhou rumo à rua.

Quando Brutus desceu ao acostamento, Enzo gritou:

— Espere.

O traficante parou, virando-se. Olhou para os lados, antes de pôr os olhos em Enzo, que, aproximando-se, disse, sobre o meio-fio:

— Minha namorada quer dar uma festa. Daqui a dois dias — ele apalpou o saquinho no bolso da calça. — Onde tem mais desse? *Muito mais?*

Brutus examinou-o de alto a baixo, antes de responder:

— Tem um pouco mais no carro. O resto eu posso encomendar. Vem comigo, mano.

Emparelhando-se, ambos caminharam rumo à praça.

Enzo tinha receio. Afinal, o outro traficante desvendara a farsa — por que não esse? E se fosse uma cilada?

Na praça, atravessaram o calçamento e, depois, o parque.

Pondo-se um passo atrás do traficante, de modo que ele só o visse exceto de esguelha, Enzo olhou para trás. Viu Thiago chegar à boca do túnel e se acocorar a um canto de parede, em meio às sombras. Voltou a olhar à frente.

Os dois chegaram ao meio-fio da calçada na praça onde Brutus estacionara o automóvel.

Descendo ao acostamento, enquanto Enzo permanecia na praça, o traficante abriu a porta de passageiros dianteira.

Curvando-se dentro do carro, Brutus procurou por algo debaixo do banco.

Enzo temeu que ele procurasse uma arma. Suor começou a escorrer por sua testa.

Quando o traficante saiu de dentro do carro, segurava à mão direita um saquinho de plástico igual ao que vendera a Enzo, mas cerca de três vezes maior.

Escondendo o alívio, Enzo trocou o pacote por dinheiro. Em seguida, ele e Brutus trocaram números de celular.

Quando o traficante fechou a porta do carro, Enzo aproveitou a deixa:

— Estou apertado. Posso…?

Brutus assentiu com a cabeça. Sem aparentar pressa, recostou-se à porta que acabara de fechar — a praça, assim, à frente dele.

Descendo ao acostamento, Enzo ladeou o carro, indo até a traseira, onde se posicionou, de pé, de costas para o traficante.

Há horas sem ir ao banheiro, o investigador não teve que se esforçar para urinar.

Após terminar, fechou o zíper e se virou.

O traficante continuava na mesma posição, de costas para ele.

Por um segundo, Enzo pensou em colocar o rastreador naquele momento, sem arrodeio. Mas foi contido pelo pensamento de que Brutus pudesse se voltar a qualquer instante.

Ajoelhando-se, Enzo desamarrou, em um único movimento, o tênis direito. Estendeu o pé à frente, de modo que o calçado desamarrado ficasse à vista do traficante, no caso de ele se virar. O resto do corpo de Enzo continuava escondido atrás do para-choque; o traficante, por sua vez, fora das vistas do investigador.

Com a mão esquerda, Enzo tirou do bolso o rastreador.

Tentava colocá-lo por baixo do carro quando, de supetão, sua mão tremeu, num espasmo involuntário.

Com um ruído, o rastreador caiu no asfalto, um pouco longe do carro.

Enzo procurou por Brutus. Ele continuava no mesmo lugar, sem parecer ter ouvido.

O investigador estendeu a mão esquerda rumo ao rastreador. Para manter o equilíbrio, teve que apoiar o joelho esquerdo sobre o asfalto e puxar mais para si o pé direito — o tênis desamarrado saindo assim, por alguns segundos, das vistas do traficante.

Pegando o rastreador, Enzo voltou à posição original.

Procurou de novo pelo traficante. Ele não parecia ter notado nada.

Pondo a mão por debaixo do automóvel, Enzo acoplou o aparelho nas engrenagens — sem maior esforço, já que o equipamento, magnetizado, funcionava como um ímã. Só então ele amarrou o tênis, tomando o cuidado de que as duas mãos ficassem visíveis.

Após terminar, ergueu-se. Brutus continuava de costas para o carro.

Subindo à calçada, Enzo se despediu do traficante e pôs-se a caminhar rumo ao túnel. Viu de soslaio que Brutus acessava, pela dianteira do carro, a porta do motorista.

Enquanto andava, logo pisando o solo do parque, Enzo se felicitava por ter corrido tudo bem. Talvez demorasse alguns dias, mas o traficante acabaria por levá-lo a todo o esquema de Caio. Enquanto isso, ele podia seguir outras linhas de investigação: talvez ligar para o psiquiatra sobre o manuscrito de Heitor, ou buscar na morte da jornalista algum dado novo, ou mesmo--

Algo explodiu em sua mandíbula.

Enzo cambaleou, dando alguns passos para trás. Com a vista turva, vislumbrou um vulto que saía de trás de uma castanheira. Antes que pudesse se firmar, outro soco o atingiu, desta vez no queixo. Ele caiu de costas sobre a terra fria. De seus lábios começou a escorrer sangue.

Com a vista ainda turva, Enzo viu algo sendo arremessado ao solo, ao lado esquerdo dele. Virando o rosto, ele conseguiu entrever o que era: o rastreador.

Ao olhar à frente, viu Brutus. De pé, visto do chão, ele parecia ainda maior.

Com alguma dificuldade devido a um zumbido que lhe infestava a cabeça, Enzo ouviu quando o traficante disse:

— Eu soube que você era problema quando bati os olhos em ti.

O traficante curvou-se sobre Enzo e, segurando-o pela gola da camisa, ergueu-lhe a cabeça. O investigador tentou empurrá-lo pelo peito, arrastar-se para longe — mas ainda estava grogue, sem forças nos braços e nas pernas.

Enquanto Enzo se debatia, braços e pernas descoordenados, as mãos dele resvalaram em algo preso à cintura do traficante.

Brutus teria pego uma arma no carro?

— 'Cê parece — disse o traficante, seu rosto próximo ao de Enzo — e fala como os meus compradores… Só que nos seus olhos tem algo, que eu nunca vi em nenhum deles…

Recuando, Brutus ergueu Enzo pela gola da camisa, pondo-o sobre os pés — sem esforço, como se o investigador tivesse o peso de uma criança. Virando-se à esquerda, ele empurrou Enzo, de costas, de encontro à castanheira.

O investigador transpirava. A garganta secara de súbito.

Com a mão direita, Brutus tirou da cintura uma pistola. Empunhando-a com as duas mãos, apontou a arma para Enzo.

Percebendo que só tinha segundos de vida à frente, Enzo recorreu à primeira ideia que lhe veio à cabeça.

— Tem três policiais de tocaia aqui — disse. — Prontos pra atirar em você.

O traficante riu.

— Onde? —perguntou.

— Um à esquerda. Em uma das janelas do segundo andar.

Brutus lançou os olhos sobre o segundo andar do prédio à direita dele. Ao não ver nada, riu, virando o rosto de novo para Enzo.

O peito do investigador subia e descia, arfante. O sangue escorria de seus lábios até o pescoço. Com comichões nas mãos e nos pés, Enzo continuou:

— Outro à direita. No topo desse edifício de três andares.

Mais uma vez, o traficante não viu ninguém.

Olhos fitos em Enzo, Brutus destravou a pistola, deixando-a pronta a atirar.

Uma brisa agitou as copas das árvores.

Algum equipamento do parque quebrou, caindo ao solo.

Ao longe, o estrondo de dois carros colidindo.

Enzo esperou que sua voz não falhasse, ao tentar a última investida:

— Outro ainda mais à direita. Ao lado da boca do túnel.

Sorrindo, Brutus levou a vista ao túnel.

De imediato, o sorriso lhe sumiu do rosto.

Havia dado certo. Enzo contava que Thiago, por mais que tentasse, não conseguiria se esconder do olhar treinado de um traficante de rua.

Espalhando a vista pelos prédios que Enzo mencionara, Brutus ficou sem reação por alguns segundos. Até que, pondo os olhos de novo sobre o investigador, desvencilhou as mãos, abaixou a arma e disse:

— O que vocês querem de mim?

— Me fale de Caio Pinheiro.

— Ninguém se mete com ele — disse Brutus.

— Caio é perigoso?

— Ele, não sei. Só que tem outro... acima dele.

— Quem? — perguntou Enzo.

— Ninguém sabe o nome. Ninguém *quer* saber.

— Foi esse outro que pagou a dívida dele? Quando?

— Eu só distribuo, mano. Sério. Não sei de nada.

Enzo cogitou continuar a pressioná-lo. Mas teve receio de que o traficante descobrisse a farsa. Também não queria ficar mais tempo ali: Thiago devia ter chamado a polícia, e Magalhães não podia saber que ele continuava na investigação.

Com um gesto de cabeça, dispensou o traficante.

Enquanto Brutus entrava no carro e partia em disparada, Enzo, a camisa suja pelo sangue que saía de seus lábios, deixou-se escorregar pelo tronco da castanheira, até o chão — sem perceber a presença de Thiago, que corria a seu encontro.

18

Enzo bebeu, em demorado gole, a última dose de *bourbon* do copo.

Acordara sem sono, há uma hora. Não iria mais dormir. Marcara com Thiago às nove.

Tomara o *bourbon* puro e sem gelo. Sem paciência para tirar o gelo do congelador. Aliás, sem paciência para muito naqueles dias. Não se preocupara sequer em acender as lâmpadas — o apartamento inteiro, assim, na escuridão.

Debruçado sobre a amurada de madeira, apoiando-se nela com os antebraços, o copo à mão esquerda, Enzo contemplava o cenário abaixo.

À frente, o telhado de uma escola, sobre o qual dormiam alguns pombos; à esquerda, uma praça, mal iluminada pelas luzes dos postes na avenida Mena Barreto; à direita, a abóboda de uma igreja.

Erguendo a cabeça, Enzo pôs os olhos no horizonte. No céu, o escuro da noite começava a ceder ao gradiente do lusco-fusco. Na janela de um ou outro prédio, uma luz se acendia.

Enzo gostava daquela hora do dia. Pouco trânsito, ideal para alta velocidade. Às vezes, quando acordava naquela hora, pegava a moto e circulava pelos arredores. Isso o ajudava a organizar os pensamentos, a acalmar a mente — o que mais precisava, naquele momento.

Ele pensava em Magalhães. Como um homem daqueles conseguia um cargo que lhe dava o poder de prender e soltar pessoas? Um cargo que o colocava acima da maioria da sociedade?

Enzo sabia bem como.

Homens como Magalhães se impunham ao mundo porque não tinham medo de admitir o que eram e a agir de acordo. Saíam à luta, sem pedir desculpas pelo que almejavam.

Por que os bons não podiam ser assim?

Enzo remoía esses pensamentos já por meia hora quando ouviu, a suas costas, chamando-o, Amanda. Virou-se.

A esposa estava de pé, sobre o umbral da porta envidraçada da varanda. Vestia camisola branca e tinha o cabelo desgrenhado.

Enzo achava-a mais bonita assim: sem maquiagem ou roupas apuradas — sem se preocupar com beleza.

— Quantos copos você já bebeu? — ela perguntou, em voz sonolenta.

— Só um — ele olhou de relance à esquerda dele, no chão. No canto da varanda onde a parede de azulejos se juntava à porta envidraçada, uma garrafa de *bourbon*, consumida até a metade.

Ela meneou a cabeça.

— Abandone a investigação, Enzo.

— Amanda...

— Olhe pra você... — ela apontou para ele com a mão direita aberta, as palmas para cima. — Repare no que isso causa a você...

Enzo sabia que ela se referia à bebida e à insônia. Não ao incidente na praça. Ele encobrira os hematomas no rosto com pomada.

— Eu não posso largar o caso, Amanda.

— Por que não?

Ele se achegou a ela. Com os dedos da mão direita, pôs-se a acariciar-lhe os cabelos:

— Porque eu acho que isso é o significado da minha vida.

— Correr atrás de pistas?

— Lutar pelo que é certo. Contra os que insistem em agir errado.

— E por que tem que ser você a se bater por isso? — perguntou Amanda. — Por que tem que ser você a confrontar o mal?

— Porque eu tenho os meios. E quem tem os meios de praticar o bem tem o dever de fazê-lo.

Tomando nas suas a mão que lhe alisava o cabelo, ela puxou-a para junto do seio esquerdo:

— Só não permita que essa missão... essa vocação... consuma você... destrua você...

— Não vou, querida. Prometo.

Desvencilhando a mão das dela, Enzo tentou abraçá-la. Amanda resistiu, as mãos de encontro ao peito dele para guardar distância. Ele insistiu.

Ela terminou por ceder, deixando-se envolver pelo abraço, o rosto sobre o ombro direito dele, as mãos dela a lhe envolverem a cintura.

Lá fora, no topo de algum prédio vizinho, um gavião guinchou. Nas ruas, os primeiros roncos de automóveis do dia. Em algum armazém perto, o ranger de cargas sendo colocadas em carrocerias. O sol despontava, impregnando o firmamento de uma cor rosa avermelhada que se adensava mais e mais — como uma pintura que saturasse pouco a pouco uma tela.

Enquanto amparava Amanda, beijando-lhe os cabelos despenteados, sob um vento súbito que passara a soprar, dando-lhe calafrios — Enzo sentia-se culpado: por ter feito uma promessa que talvez não conseguisse cumprir.

19

O homem, de cabelos curtos pretos em estilo militar, olheiras e barba por fazer, vestido em terno cinza amarfanhado, entregou a Enzo um envelope de cor laranja. Rompendo o lacre de plástico, o investigador retirou de dentro algumas fotografias. Começou a passá-las pela vista, uma a uma, acompanhado com os olhos por Thiago, sentado ao seu lado.

As fotografias mostravam um homem e uma mulher. Todas pareciam ter sido tiradas no Rio de Janeiro, sem que o casal tivesse notado. As fotos mostravam, em sequência, o casal comendo em restaurantes de luxo; tomando drinques à beira de piscinas; montando a cavalo; e prestes a voar de asa-delta, no topo da Pedra da Gávea. A moça, cabelos escuros até os ombros e pele bronzeada, parecia ter cerca de vinte e poucos anos; o homem, cabelos curtos louros e pele branca, uns dez anos a mais.

Uma sequência de fotografias chamou a atenção de Thiago — e aparentemente a de Enzo, dada a demora com que o investigador se deteve sobre cada uma delas: um carro preto, vidros em fumê total, entrando em motel de luxo na Barra da Tijuca.

— O casal está no carro? — perguntou Enzo ao homem de terno, sentado à frente dele.

O homem assentiu com a cabeça. Ele mantinha postura ereta e, de vez em quando, olhava ao redor. Às vezes tocava, com os dedos da mão direita, no crachá, afixado no bolso dianteiro esquerdo do paletó e no qual se liam, em maiúsculas, as iniciais da Polícia Federal.

Ele não está à vontade, pensou Thiago.

Enzo lhe informara pouco sobre aquele agente federal. Chamava-se Carlos. Devia algum favor ao investigador, que decidira cobrá-lo.

Enquanto colocava as fotos de volta no envelope, Enzo, talvez preocupado que alguém as tivesse visto, passou os olhos pela praça de alimentação do aeroporto. Todas as mesas, lotadas. No ar, cheiro de batata frita, carne assada e *yakisoba*. Nos corredores de deslocamento, o vai e vem de passageiros com malas em carrinhos ou à mão. O sistema de som divulgou informações sobre algum voo, forçando Enzo a aumentar um pouco a voz ao olhar de novo para Carlos e perguntar:

— Quem é o homem nessas fotos?

O agente nada falou. Como Enzo continuasse a fitá-lo, acabou por dizer:

— Eu tive que me desdobrar pra tirar essas cópias, Enzo.

— Eu agradeço, Carlos. E quanto ao homem nas fotos?

— Dizem que sua investigação não tem respaldo da Homicídios.

— Olha só, eu sei o risco que você corre. Eu não teria pedido ajuda se não fosse importante.

Carlos olhou para os dois lados, antes de colocar os cotovelos sobre a mesa e, debruçando-se, dizer:

— O homem é um traficante belga. Braço direito dos chefões de uma rede internacional de tráfico de *ecstasy*.

— E o que ele veio fazer aqui?

— Cobrar uma dívida de Caio Pinheiro.

— E conseguiu?

— Ele voltou com o dinheiro na conta — disse Carlos.

— E isso foi quando?

— Na véspera do *Réveillon*.

— Ele recebeu o dinheiro antes ou depois do Natal? — perguntou Enzo.

— Não sabemos.

— Vocês não o estavam monitorando?

— Caio usou alguém. Que se protegeu de tal maneira que não conseguimos nem o nome.

— Mesmo com todos os recursos que vocês têm?

— Aconteceu algo estranho — disse Carlos. — Assim que o belga deixou o país. Foi só começarmos a rastrear de onde tinha vindo o dinheiro e todas as portas se fecharam. Juízes deixaram de autorizar grampos. Agentes e peritos entraram em licença médica.

— Há quanto tempo vocês sabem dos negócios de Caio?

— Nós o investigamos desde que ele começou. Pra chegar nos grandes. A prisão dele foi um vacilo da Civil, que não sabia da nossa operação.

— A investigação chegou a ser interrompida, então? — perguntou Enzo.

— Por pouco tempo. A nosso pedido, o promotor requisitou que Caio fosse processado como usuário. O juiz aceitou. Sabíamos que, solto, sem maiores acusações, ele logo ia voltar a agir.

Enzo apontou com o indicador direito para o envelope:

— Quem é a moça nas fotos?

— Uma prostituta de luxo. Ela fez companhia ao belga.

— Você acha que ela sabe algo?

— Foi a única companhia que ele teve aqui — disse Carlos.

— Como eu a encontro?

Assim que pôs os olhos nela, Thiago reconheceu na garota a alguns metros, inclinada sobre uma banca de hortaliças, a moça que vira nas fotografias.

Ela vestia calça bailarina azul, tênis branco e um *top* laranja justo que lhe ressaltava as magras omoplatas. Os cabelos, de cor escura, eram lisos, mas cacheados nas pontas; as sobrancelhas, espessas, mas delineadas; e a pele do rosto, esbranquiçada, mas com lábios vermelhos carnudos.

A moça sorria enquanto conversava com a vendedora, uma senhora de cabelos grisalhos. Duas bancas adiante dela, Enzo fingia examinar algumas frutas. De vez em quando, levava a vista à moça. Esperava o melhor momento de abordá-la, conforme ele e Thiago haviam combinado. Tinham decidido se manter separados: a presença de um homem só já intimidaria a moça; quanto mais dois.

Enquanto o momento de Enzo abordar a garota não aparecia, Thiago perambulava pelas bancas, que ocupavam dois terços da calçada de um quarteirão no bairro do Flamengo. À venda, frutas, legumes e hortaliças orgânicos.

Depois de alguns minutos, ele procurou pela garota. Não a viu. Virando-se, acabou por encontrá-la junto à banca atrás dele.

Enzo conversava com ela. A moça ria, de modo polido. Pareciam conversar sobre a feirinha e os alimentos.

Depois de alguns segundos, a garota se despediu com um aceno de mão. Começou a se afastar de Enzo e das bancas, caminhando rumo à rua.

Enzo a seguiu.

Ao chegar ao meio-fio, ela parou, à espera de alguma brecha no trânsito para atravessar a rua.

Enzo parou ao lado dela. Assim que deu com os olhos nele, a moça, desta vez sem sorrir, disse-lhe algo e voltou a vista para a rua.

Como o trânsito diminuísse, ela se moveu para atravessar. Antes que o pé direito dela pisasse no asfalto, Enzo disse algo que a fez retornar ao meio-fio e deitar sobre ele olhos arregalados.

O investigador lhe entregou o envelope que recebera do agente federal. Mal viu a primeira foto, a moça colocou-a de volta e, mãos trêmulas, olhando para os lados, a pele bronzeada tendo se empalidecido, devolveu o envelope a Enzo.

Os dois passaram a conversar. A moça parecia sussurrar, já que Enzo tinha que se curvar para ouvi-la.

Depois de alguns minutos, a garota atravessou a rua, enquanto Enzo caminhava rumo a Thiago. Ao chegar perto dele, disse:

— Adivinha quem pagou a dívida de Caio Pinheiro?

— Eu?

Embora o tom de voz de Ricardo Pinheiro denunciasse surpresa, suas expressões faciais não demonstravam nada.

Thiago já sabia por Enzo da aparente falta de emoções do amigo de infância do investigador.

Uma esfinge, definira-o Enzo.

Vendo-o ali, de pé, junto à mesa de centro de seu escritório, em terno de corte inglês azul, sapatos em verniz preto e branco, gravata e lenço de lapela vermelhos, Thiago tentava ler não somente no rosto do outro, mas em toda a linguagem corporal dele, algo que indicasse emoção.

— O pagante nunca disse o nome — disse Enzo —, mas a moça que andava com o belga o descreveu pra mim.

— Que belga? — perguntou Ricardo. — E essa moça, como ela descreveu o pagante?

— Da sua altura. Do seu peso. Rosto parecido com o seu. Bem vestido. Contido, frio. E usando aqui e ali expressões em francês.

— Essa descrição, Enzo... deve haver outros no Rio de Janeiro que se enquadrem nela.

— Só você, dentre eles, tem contato com Caio. E, por isso, com o esquema de drogas.

Ricardo deu as costas a Enzo e Thiago. Circundou uma escrivaninha, rumo a uma janela envidraçada, por onde se via, dois andares abaixo, no horário de *rush*, o entra e sai de passageiros na entrada da estação do metrô, no centro. Nos prédios ao redor, empregados de escritório se preparavam para sair, as luzes de alguns andares já apagadas.

— Não tenho conhecimento nem participo de nenhum esquema — disse Ricardo, enquanto, curvando-se junto à janela, tirava uma garrafa de vinho de uma adega de madeira. — Não esqueça por que contratamos você. Minha mãe... ela continua na prisão.

— Até dois anos atrás — disse Enzo —, seu nome entrava e saía da lista de inadimplentes.

Ricardo virou-se para os dois interlocutores, a garrafa na mão direita, à altura do quadril. Pela primeira vez desde o início da conversa, Thiago via nele algum lampejo de emoção: um leve tremor nos lábios, antes de perguntar:

— Como você sabe disso?

— Suas declarações de imposto de renda mostram decréscimo contínuo de patrimônio...

— Você teve acesso ao meu...?

— Exceto a do ano passado.

— Isso é legal? — Ricardo ergueu a garrafa à altura do peito, o que, em alguém tão contido, parecia demonstrar algum nível de agitação. — Ter acesso às informações privadas dos outros?

— Inconstância financeira em um homem rico. Já vi isso. Qual seu vício, Ricardo? Cocaína? Mulheres? O que o fez se endividar a ponto de se tornar contador do esquema do seu irmão?

Ricardo se aproximou da escrivaninha, em cima da qual havia pilhas de papéis e pastas, de mesmo tamanho e separadas à mesma distância umas das outras. Afastando de sua frente uma cadeira de rodinhas, ele colocou a garrafa sobre a mesa e disse:

— De onde você tira essas ideias?

— Eu prefiro chamar de hipóteses.

— E de que... *hipótese*... se trata aqui? — Curvando-se, Ricardo pegou em uma das gavetas uma taça, que pôs sobre a escrivaninha.

— Você pagou ao belga antes da morte de Heitor. Logo, o dinheiro não veio da herança.

— Então, por que você está aqui?

— Cedo ou tarde os policiais a serviço de Heitor descobririam sobre você. Eu acho que você preferiu matar o velho antes que ele soubesse de algo.

Desarrolhando a garrafa, Ricardo colocou um pouco de vinho na taça e disse:

— Uma boa hipótese, embora incorreta, lamento dizer.

— Vamos ver o que a Polícia Federal descobre, então.

— Polícia Federal? — Ricardo parou a taça à altura da boca, sem chegar a dar o primeiro gole.

— Os federais ainda não sabem que Caio tem um cúmplice.

— Enzo — Ricardo colocou a taça de volta à mesa —, por favor não faça isso.

— Então me diga o que você sabe sobre as drogas.

— Eu não posso... não devo falar sobre isso... sobre meu trabalho... meus...

— Seus clientes?

— Eu não quis dizer isso.

— Você só poderia ter pago aos traficantes com dinheiro de outros negócios. Ilícitos, já que sua única fonte de renda declarada é essa firma.

— Eu não posso... Enzo, se ele souber que eu falei algo...

— Ele quem? Caio?

— Caio acha que eu só trabalho pra ele.

— Então, de quem você tem medo?

Enfiando as mãos nos bolsos das calças, Ricardo espalhou a vista, a esmo, pela superfície de mesa. Quando ergueu a cabeça e falou, foi em sussurro, como se houvesse alguma presença ali só conhecida por ele:

— Agaures.

Enzo sorriu.

— Quem é Agaures? — perguntou Thiago, perplexo com a reação de Enzo, que até então parecia levar muito a sério toda aquela investigação.

— Um suposto mafioso — disse Enzo, sem tirar os olhos de Ricardo — que controlaria nos bastidores todas as atividades criminosas de algum vulto no Rio de Janeiro. Uma lenda urbana.

— Ele é real, Enzo — disse Ricardo. — Vê e sabe de tudo. Não gosta de quem fala demais. E se você pensa que conhece o mal, espere só até cruzar o caminho dele.

— Você já o viu? — perguntou Enzo. — Já falou com ele?

— Eu só falo com emissários.

— Ninguém nunca o viu — disse Enzo. — A Polícia Federal e a Interpol investigam há anos o crime organizado no Brasil. O nome dele sequer é mencionado.

— Então como você sabe dele? — perguntou Thiago.

— Eu ouvi uma vez. Da boca de um policial...

— Viu só? — disse Ricardo, tirando as mãos dos bolsos e apontando o dedo indicador direito para Enzo.

— ...em tom de piada.

— Não há nada engraçado nisso — disse Ricardo. — A polícia e o judiciário carioca... parte considerável deles está sob controle desse homem. Sem mencionar a imprensa.

— E como ninguém sabe nada de alguém poderoso assim? — perguntou Thiago.

— Ele atua por intermédio de laranjas, emissários, espiões... — disse Ricardo. — A maioria desconhece que trabalha pra ele.

— Olha só — Enzo posicionou as mãos, abertas, à altura do peito. — Real ou não, esse gênio do crime não estava na mansão na noite do assassinato. Você estava.

— Naquela noite, eu já disse, fui dormir tão logo a ceia terminou. Você precisa acreditar em mim, Enzo.

— O que eu preciso é entender o porquê disso. Por que você se envolveu com criminosos? Logo você, pra mim o mais íntegro nessa família?

Ricardo pôs os olhos em Enzo.

Ficaram calados por alguns segundos.

Então, a esfinge desmoronou.

O rosto de Ricardo se contraiu. Os ombros tombaram. A cabeça pendeu. O corpo cambaleou, forçando-o a se amparar na mesa com as mãos tremulantes. Quando ergueu de novo a cabeça, seu rosto suava, e os olhos lacrimejavam.

— Sofro de uma doença moral, Enzo. E devido a isso me endividei. Por não conseguir me manter distante das roletas, dos crupiês...

Ele se deixou cair na cadeira de rodinhas. Pôs os cotovelos sobre a escrivaninha, braços estendidos à frente. Quando falou de novo, olhava a esmo, como se conversasse com algum interlocutor imaginário:

— O esquema de drogas, isso não foi minha primeira escolha. Antes, eu pedi dinheiro emprestado a meu pai. O velho, ele não quis saber. Fez um discurso sobre disciplina, valores... *Hypocrite*! — ele esmurrou a mesa. — Eu não o matei, embora confesse que tive vontade. Quem era ele afinal pra discursar sobre valores? Ele, que traiu minha mãe durante anos a fio?

Enzo abriu a boca. Parecia pronto a retomar a linha de perguntas que seguia até então. No entanto, após alguns segundos calado, só perguntou:

— Ricardo, como assim "anos a fio"? O caso de seu pai com Suzana só durou um ano.

Ricardo se aprumou, tirando os cotovelos de sobre a mesa:

— Quem falou em Suzana?

20

— E ntão Suzana não era a amante de Heitor? — perguntou Thiago.

O carro partira há cerca de vinte minutos. Percorria a Senador Verguei-ro, no Flamengo. A avenida estava cheia de carros, mas o trânsito fluía, o horário de *rush* tendo acabado há uma hora. Nas calçadas, transeuntes recém-saídos das estações de metrô. Nos botequins, os primeiros fregueses da noite. Nos portões das faculdades, alunos do turno noturno, à espera do início das aulas.

— Foi só um caso breve — disse Enzo. — A amante de longa data é outra, pelo que Ricardo falou.

— Ele não sabe quem é.

— Ninguém talvez tenha o nome dela.

— E agora? — perguntou Thiago.

Enzo estacionou o carro defronte a um prédio comercial com paredes envidraçadas, no Flamengo. No térreo, uma loja de departamentos e uma lanchonete.

— O médico me enviou uma mensagem dizendo que já tem algo pra mim — disse. — Volto já.

Antes que Thiago pudesse dizer algo, Enzo saiu do carro e, a passos largos, adentrou o prédio.

Thiago desceu do carro para esticar as pernas. Sentado sobre o capô do automóvel, sem nada para fazer, limitou-se a contemplar o movimento ao redor: adolescentes saíam de um famoso curso de inglês, livros à mão; uma moça de jaleco, talvez uma fisioterapeuta em uma das várias clínicas dali, andava rumo à estação do metrô; os primeiros fregueses da noite entravam em uma restaurante de comida chilena.

O ar estava quente. Thiago sentia vontade de tomar banho.

Depois de alguns minutos, Enzo saiu do prédio. Carregava à mão direita um envelope branco. Entrou no carro, seguido por Thiago.

Assim que se sentou, o médico percebeu que Enzo mudara. Estava agitado, esbaforido, a fala acelerada; nos olhos, um vigor, uma energia que o médico só vira em viciados que haviam saído do fundo do poço e conquistado sua vida de volta. Era como se o amigo tivesse descoberto, naquele momento, o princípio vital dele.

Enzo estendeu-lhe o envelope, deslacrado:

— Veja isso.

Thiago pegou o envelope. De dentro, tirou o manuscrito com a biografia de Heitor Pinheiro.

— O que tem? — perguntou.

— Essa é a pitada de tempero a mais, Thiago.

— Tempero? Do que voc--

— O psiquiatra acaba de me dizer que as letras distorcidas das páginas finais podem indicar duas coisas. A primeira: Mal de Alzheimer.

— Que Heitor não tinha…

— E assim resta a segunda opção: abuso de medicamentos.

— Desculpe, mas não compreendo.

— Estava na nossa frente, e não vimos. Valentina pensou que Heitor a ignorava. Quando ele estava na verdade sob efeito de substâncias.

— Por isso ele não esboçou reação ao ser morto? Por que ele estava dopado?

— Por uma substância que deveria tê-lo matado — disse Enzo. — Veja como a jornalista foi morta. Estamos lidando, desde o início, com um envenenador.

Só então Thiago percebeu a importância do que Enzo acabara de descobrir.

— O criminoso sabia que ele tinha problemas cardíacos — disse o investigador. — A morte passaria como natural. Nem seria investigada.

— E por que não deu certo?

— O assassino não sabia da medicação psiquiátrica.

— A benzodiazepina?

— É um sedativo — disse Enzo. — Você mesmo disse que substâncias assim bloqueiam o efeito das drogas no corpo.

— E de que drogas falamos aqui?

— A polícia não encontrou nada.

— O exame toxicológico foi sumário, Enzo. A polícia não desconfiava de envenenamento.

— Que substância poderia provocar um ataque cardíaco? Ou uma arritmia fatal?

Thiago colocou as mãos sobre o painel. Depois de pensar por alguns segundos, disse:

— Gases anestésicos. Inaladores bronquiais. Bloqueadores neuro-musculares.

— Algo acessível a quem não trabalhe em um hospital. E que tenha ação rápida.

— Narcóticos, então. Algumas drogas cardíacas, em *overdose*. Drogas recreativas.

— Essas drogas deixariam traços no corpo? — perguntou Enzo. — Marcas que o legista registraria?

— Muitas delas, sim. O perito indicaria danos aos órgãos internos, vestígios de distúrbios gastrointestinais e sinais exteriores, como língua e pele escurecidas.

— Olha só: procuramos por algo que não deixa sinais no corpo. Que tenha seu efeito retardado ou diminuído por benzodiazepina. E, como não havia marcas de injeção em Heitor, que possa ser misturado em líquido sem alteração acentuada de sabor.

Thiago pensou por alguns segundos, antes de dizer:

— O mais provável é *ecstasy*. Só que isso não faz sentido.

— Por quê?

— Estatisticamente, a probabilidade de o *ecstasy* matar alguém, de forma planejada assim, é baixa.

— Mesmo um cardíaco como Heitor?

— Nesse caso a probabilidade é maior — disse Thiago. — Ainda assim, teria que haver alta precisão na dosagem.

— "Alta precisão na dosagem"… — Enzo fitava o painel de instrumentos. — "Alta precisão na dosagem"…

Então, ele ergueu os olhos para o para-brisa e bateu no volante com o punho direito cerrado:

— É claro!

— O quê?

Sem responder, Enzo girou a chave na ignição e partiu com o carro.

21

Na sala de jantar, sentada à cabeceira da mesa, Eduarda Pinheiro mantinha a mão direita ao redor do copo de vidro, cheio de suco de frutas vermelhas.

— Qual sua opinião, Matilde? — ela perguntou, a pulseira de prata do relógio em seu pulso refletindo a luz do lustre acima.

A governanta, uma bandeja de prata sobre a mão esquerda, já se afastava para a cozinha; parou e, virando-se:

— Sobre o quê, patroa?

— Que pensa você da investigação? E de todo esse caso?

— Acho... — Matilde se calou por um momento, como que procurando as palavras. — Eu tenho fé de que tudo isso vai passar, patroa. Mesmo que demore um pouquinho.

Eduarda pegou de sobre a mesa uma faca limpa, que usou para cortar um pedaço de queijo *brie*, em uma travessa redonda de porcelana branca. Enquanto usava a faca e a palma da mão esquerda como amparos para colocar o queijo sobre um prato de sobremesa, perguntou:

— Entende então que o investigador descobrirá o criminoso?

— Tenho pra mim, patroa, que o assassino vai pagar. Mesmo que no outro mundo.

Naquele momento, fez-se ouvir, vinda da sala de estar, a voz de Enzo:

— Quem matou Heitor pagará neste mundo mesmo, Matilde.

Ambas as mulheres olharam para a sala. Na penumbra, divisaram Enzo e Thiago; em meio a eles, mas um passo atrás, braços cruzados, o delegado Magalhães.

Eduarda ergueu-se da cadeira, as abas de seu vestido *cashmere* curto esvoaçando com o movimento.

— Como entraram sem serem anunciados? — ela perguntou.

— Vantagens de se andar com um delegado, madame — disse Enzo, apontando com o polegar direito para Magalhães, atrás dele. O delegado lhe disse, entre dentes, um palavrão.

Não fora fácil tirar Magalhães de casa àquela hora da noite. Ele ralhara ao descobrir que Enzo prosseguira com a investigação. Após vinte minutos de argumentação, acabara aceitando ir até a mansão, sob uma condição: se Enzo estivesse errado sobre a autoria do crime, o investigador seria preso por obstruir o inquérito oficial.

— Vejo que continua no encalço do criminoso, investigador — disse Eduarda. — Mesmo a tão avançada hora da noite.

— Eu tenho dificuldade de dormir, madame, quando há um assassino à solta.

Enzo e Thiago se aproximaram, seguidos de Magalhães. Pararam os três, ainda na penumbra, a dois passos do pórtico que delimitava o início da sala de jantar.

— Começo a considerar, investigador — disse Eduarda —, que no fim você não é muito diferente de Heitor. Preso, como ele, a velhos e ultrapassados códigos.

— Daqui a pouco alguém nesta sala também estará preso, madame. No sentido literal da palavra.

Magalhães deu um passo à frente, emparelhando-se com Enzo e Thiago. Descruzando os braços, ele cravou os olhos no investigador, à esquerda dele:

— Assim espero, Rocha.

— Prisão? — Eduarda recuou um passo. — Os senhores pensam que eu... *eu* matei Heitor?

— A senhora fez o chá — disse Enzo.

— E o que, investigador, o chá tem a ver com--

— Diluído nele, o *ecstasy* teria um gosto salgado. Um gosto leve, que não levaria Heitor a desconfiar de nada.

— Um instante — disse Eduarda. — O senhor me diz então que Heitor foi... envenenado?

— Por alguém que mora na casa. Não por um dos convidados que passou a noite.

— Você não tem como ter certeza disso, Rocha — disse Magalhães.

Enzo deu um passo à frente e, virando-se, fitou Magalhães.

— Os cachorros — disse Enzo — só toleram quem é da casa. Como ficaram soltos a noite toda, e o criminoso saiu para o jardim logo após o crime, sem ser atacado, ele *tem* que ser alguém da casa.

— E como, cacete, você sabe que o criminoso saiu? — perguntou Magalhães.

— E como ele se livraria da faca ensanguentada? A única área externa sem vigilância das câmeras era a do jardim de trás. E todos da casa sabiam disso.

— Não força, Rocha — disse Magalhães. — A gente vasculhou até os ninhos de coruja na mata.

— Uma mansão com uma fossa aberta — disse Enzo. — A arma não é encontrada nem dentro nem na floresta em torno. Onde mais você acha que a faca foi parar, Magalhães?

— Você quer dizer que...

— Naquela noite o criminoso saiu pelo jardim, abriu o portão de trás com a chave que tirou do claviculário e jogou a faca na fossa.

— O senhor diz que é alguém da casa — disse Eduarda. — No entanto, os cachorros latiram. Eu mesma os ouvi.

Enzo se virou para ela:

— O olfato deles é de pequeno alcance. No escuro, de longe, eles não sabem se alguém é ou não da casa. Da primeira vez, como Victor não mora aqui, só se acalmaram quando o segurança interveio. Da segunda, se acalmaram *antes* que Walter chegasse lá. Ou seja, reconheceram o cheiro de alguém da casa assim que se aproximaram o suficiente.

— Boa história, investigador — disse Eduarda. — Daria uma novela. Infelizmente, eu não poderia ser a vilã nela. Eu não assassinei meu marido.

— Na minha novela, você não é a vilã, madame.

— *Não*? Então você... não suspeita de mim?

— Podendo usar venenos mais eficazes, você jamais tentaria matar um homem com *ecstasy*.

— Ela poderia ter pago um médico — disse Magalhães. — Pra saber a dosagem.

— Se tivesse feito isso, ela o teria informado sobre a medicação psiquiátrica de Heitor. Da qual só ela na casa sabia. O médico teria recomendado uma dosagem maior, e o assassino não precisaria da faca.

— Direto ao ponto, Rocha — disse Magalhães. — Quem matou Heitor Pinheiro?

— Alguém com bagagem médica pra escolher uma droga tão incomum em homicídios — e, detendo o olhar em Matilde: — Uma enfermeira. E amante de longa data de Heitor Pinheiro.

A bandeja tremeu na mão da governanta, e nisso um copo com vestígios de água caiu sobre o assoalho, com um baque.

— Seu Enzo! — ela colocou a mão livre, tremulante, sobre o seio esquerdo. — O senhor acha que eu... que *eu matei* seu Heitor?

— Uma vez descartada Eduarda Pinheiro, só você, entre os da casa, poderia ter remarcado o encontro sem despertar suspeitas da jornalista.

— Seu Enzo, eu não--

— Assim que Eduarda Pinheiro foi dormir, você misturou o *ecstasy* no restante do chá. Talvez tenha convencido Heitor a beber mais xícaras. Ou talvez ele tenha bebido por iniciativa própria. De todo modo, a cada gole, ele mergulhava mais e mais rumo à morte.

Eduarda se apoiou com as duas mãos sobre o espaldar da cadeira, enquanto Enzo continuava a se dirigir à Matilde:

— Eu comecei a desconfiar que você era amante de Heitor quando me disse que ele lhe falava de negócios. Um homem reservado como ele, que desprezava criados, jamais daria essa confiança a uma governanta.

— Que prova o senhor tem — perguntou Matilde — de que eu fiz algo tão horrível assim?

— Acredito que agora tenho uma — Enzo apontou com a cabeça para o corredor que levava à residência da governanta. De lá saíam dois homens, vestidos com uniformes da Polícia Civil. Um deles segurava à mão direita algumas folhas de papel. Ambos pararam ao lado da cabeceira da mesa.

— Eu pedi a Magalhães que eles vasculhassem seu quarto, dona Matilde — disse Enzo. — Acredito que um exame grafológico mostrará que a letra nas folhas de papel em poder dos policiais é sua. Trata-se, creio, da carta de amor tão procurada.

Eduarda puxou a cadeira e, sentando-se, cotovelos à mesa, encobriu os olhos com as mãos:

— Eu... não acredito.

— Eu só não entendo — disse Magalhães — por que ela não destruiu a carta. Era a única prova material contra ela.

— Porque assim — disse Enzo — ela mantinha sua última lembrança de Heitor Pinheiro. Ele não foi morto por dinheiro, Magalhães. Ao contrário do que eu próprio cheguei a acreditar.

Por alguns segundos, todos permaneceram em silêncio. Só se ouvia o latir de um cachorro, aos fundos, e o silvo do vento, nas frestas das janelas fechadas — por cujas vidraças o luar penetrava, reluzindo pratarias e vidros, a luz a imiscuir-se na penumbra como uma serpente em busca de uma presa.

Então, fechando os olhos, Matilde colocou a bandeja sobre a mesa e, debruçando-se, apoiou-se com as mãos junto à superfície. Deixou-se ficar assim por alguns segundos, a respiração arfante, o subir e baixar dos seios visível mesmo sob o grosso vestido de algodão. Até que, abrindo os olhos, fitou Enzo e disse:

— Eu amava o patrão Heitor. Quando ele se separou de dona Valentina, eu achava que ele ia me assumir. E aí ele aparece com a patroa Eduarda.

Os olhos dela começaram a lacrimejar:

— Um dia ele me chamou. Disse que não me queria mais. Que ia me dar aviso prévio.

Ela fechou os olhos. Uma lágrima escorreu de seu olho esquerdo, caindo do queixo até o chão, antes que ela continuasse:

— Eu ameacei contar tudo pra patroa. Aí ele voltou atrás, pediu desculpas. Só que eu sabia que tava tudo acabado.

Ela limpou os olhos com as costas da mão direita. Quando voltou a falar, foi com uma voz embargada:

— Se ele não ia ser meu... então não ia ser de mais nenhuma.

Ela escondeu o rosto entre as mãos. Seus ombros passaram a se arquear, à medida que ela começava a soluçar. Ela recuou e recostou-se junto à parede branca, por onde deixou seu corpo escorregar até o chão. E ficou assim, chorando, o rosto entre as mãos, até os homens de Magalhães a conduzirem para fora da casa.

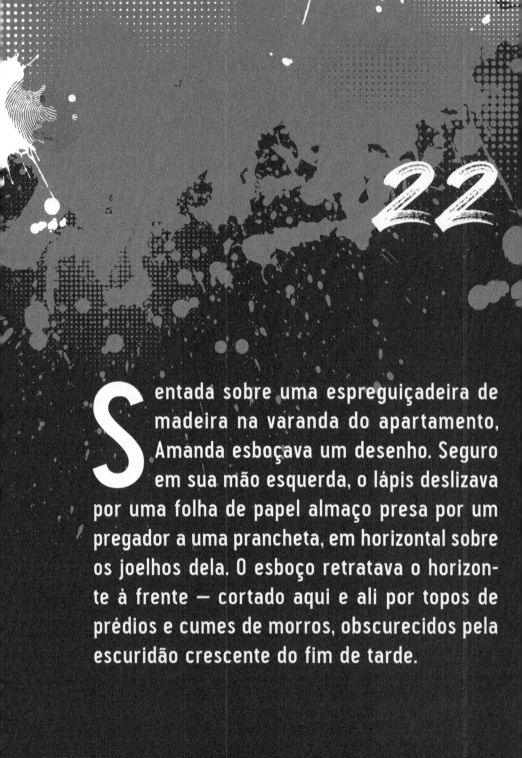

22

Sentada sobre uma espreguiçadeira de madeira na varanda do apartamento, Amanda esboçava um desenho. Seguro em sua mão esquerda, o lápis deslizava por uma folha de papel almaço presa por um pregador a uma prancheta, em horizontal sobre os joelhos dela. O esboço retratava o horizonte à frente — cortado aqui e ali por topos de prédios e cumes de morros, obscurecidos pela escuridão crescente do fim de tarde.

Na sala, sentado no sofá, Enzo espalhava sobre a mesa de centro quatro pedacinhos de papel.

— Olha só — disse. — Quatro propostas em três dias. Só de endinheirados. Tudo por causa do caso Pinheiro.

— Como, se seu nome nem apareceu no noticiário? — Amanda continuava a desenhar. — O tal do Magalhães levou todo o crédito.

— Por isso mesmo. Ricos gostam de discrição.

— Prefira a oferta que parecer menos arriscada, Enzo.

— Essa — ele pegou um dos papeizinhos e, mantendo-o preso entre o polegar e o indicador, brandiu-o à altura do rosto. — Um senador. Alguém está envenenando os cavalos de seu *haras*. Qual o risco aí?

— Quem envenena cavalos envenena pessoas... e investigadores enxeridos.

Sorrindo, Enzo deixou os papéis de lado e recostou-se junto ao encosto do sofá.

Felizmente, tudo terminara bem. Duas semanas haviam se passado desde o fim do caso. Valentina fora solta e ameaçava processar o Estado. A mãe respondia bem ao tratamento. Presa, Matilde aguardava julgamento por duplo homicídio. Ela admitira em depoimento que seguira Enzo, com receio do que ele poderia descobrir sobre o caso.

Só um fato ainda conturbava o investigador... por mais que tentasse esquecê-lo...

No quarto do casal, o bebê começou a chorar. Amanda interrompeu o esboço e, erguendo-se, deixando cair a prancheta e o lápis ao chão, atravessou a passos rápidos a sala, rumo ao cômodo.

Levantando-se, Enzo foi ao escritório. Trancou a porta atrás de si, à chave. Acendeu a luz no interruptor da parede e andou até a escrivaninha; circundando-a, abriu a última gaveta, de onde tirou um copo e uma garrafa de uísque escocês; abrindo-a, serviu-se de uma dose, que bebeu de um único gole.

Deixou-se ficar ali, por alguns segundos, garrafa e copo às mãos.

Sua ansiedade abrandara tão logo o caso chegara ao fim. No entanto, sua vista às vezes escurecia. Os batimentos cardíacos se aceleravam de súbito. Flagrava-se em alguns momentos a respirar de maneira cortada, interrompida. Um dia, enquanto andava na rua, chegara a ter sensação de desmaio iminente.

Ao mesmo tempo, algo mudara nele. Estava mais alerta, os pensamentos e reflexos mais rápidos. Quando falava, surpreendia-se com a precisão e fluência das próprias palavras. Será que saíra da letargia, da preguiça em que vivera no último ano — e de cuja intensidade só agora se dava conta?

Tampou a garrafa, colocando-a, juntamente com o copo, de volta à gaveta. Tirou o celular do bolso da bermuda e discou um número. Após três chamadas, a ligação caiu na caixa de mensagens. Uma voz gravada:

— Aqui é Murilo Rocha. No momento não tenho como atender. Deixe seu recado.

A voz deu lugar ao som de um *bip*.

— Pai, por favor, retorne minhas ligações. Eu preciso falar contigo.

Desligou o celular, pondo-o de volta ao bolso.

Por que insistia? O pai devia estar de ressaca, como sempre. Provável que nem tivesse visto as ligações. E mesmo que tivesse, parecia claro que não retornaria. Mas, que outra opção tinha? A mãe não lhe perguntava por ele, sempre que ia visitá-la? Ainda na esperança de que ele voltasse para ela? Não conseguia — não *queria* — destruir as ilusões dela.

O que mais preocupava Enzo, naquele momento, era outra questão.

Abriu a primeira gaveta da escrivaninha, de onde tirou duas folhas de papel A4. Segurando-as, uma em cada mão, passou-as em vista. Ambas, notícias impressas da internet:

CONTADOR MORRE EM ACIDENTE

O texto informava que a alegria da família Pinheiro com a liberdade de Valentina durara pouco. Ricardo, contador e um dos herdeiros da fortuna de Heitor, morrera em acidente de esqui, em um *resort* na França, onde passava férias.

A notícia tinha data de três dias atrás.

UNIVERSITÁRIA ASSASSINADA EM ASSALTO

O texto informava que uma garota de 22 anos fora esfaqueada dez vezes durante um assalto, em uma rua deserta na Gávea, perto do *campus* da universidade em que estudava. A polícia não tinha pistas.

A notícia tinha data de cinco dias atrás.

A última matéria trazia uma foto da garota: a acompanhante de luxo cujas informações haviam levado Enzo a Ricardo.

Ele já lera as duas notícias várias vezes nos últimos dias, sempre escondendo o material de Amanda. Por absurdo que fosse, passara a cogitar se as duas mortes não estariam relacionadas.

A contragosto, veio-lhe à memória o que Ricardo dissera:

Ele é real, Enzo. Vê e sabe de tudo. Não gosta de quem fala demais. E se você pensa que conhece o mal, espere só até cruzar o caminho dele.

Pela janela aberta o vento assobiou, derrubando aos pés de Enzo papéis de sobre a escrivaninha. Na luminária do teto, as lâmpadas começaram a tremeluzir, lançando pela sala sombras bruxuleantes.

No quarto, Amanda chamou por Enzo. Precisava de ajuda com o bebê.

As lâmpadas voltaram a luzir, sem interrupções.

Enzo pôs os papéis de volta à gaveta.

Aquele assunto podia esperar. Tudo o mais podia, aliás. Ele tinha sua vida de volta.

Pelo menos, até o próximo caso...

FIM

Este livro foi composto na tipologia
Adobe Garamond Pro 11/15 pt e
impresso sobre papel Pólen Soft.

Made in the USA
Las Vegas, NV
02 January 2025

15686730R00090